asso mult

$a(b \cdot c) = (a \cdot b) \cdot c$

dis

$a(b+c) = ab+ac$

com

$a+b = b+a$

10, 9.2

180

90

Heath's Modern Language Series

CUENTOS ALEGRES

POR

LUIS TABOADA

EDITED WITH NOTES AND VOCABULARY

BY

MURRAY ANTHONY POTTER
LATE ASSISTANT PROFESSOR OF ROMANCE LANGUAGES
IN HARVARD UNIVERSITY

D. C. HEATH & CO., PUBLISHERS
BOSTON NEW YORK CHICAGO

2 D 7

Printed in U. S. A.

INTRODUCTION

Luis Taboada, the author of the sketches included in this volume, was born in Vigo, October 6, 1848, and died in Madrid, February 18, 1906. As he tells us in *Cómo y por qué vine á Madrid*, he came to the capital of Spain in 1870. From that time until the year of his death he was at different periods a clerk in the Department of the Interior, private secretary of Eduardo Chao, a writer of plays and novels and above all a continuous contributor of comic articles to various Spanish newspapers. His novels give him no claim to be counted among the more important contemporary novelists, his plays possessed no special merit and it might well be asked what claim a journalist has to be introduced to American students. But Taboada was something more than a newspaper jester. Many of his readers, even those who greatly enjoyed him, probably did not realize this till after his death. Others, however, appreciated him at his true worth, writers themselves of taste and ability.

It is said that Valera, whenever he received a copy of the *Imparcial* which contained one of Taboada's articles, had it read to him and was vastly entertained. He praised Taboada's work and attributed great importance to it. The well-known critic *Clarín* regarded Taboada as a writer of distinct individuality, a real creator. Emilia Pardo Bazán fifteen years before his death called him "*el escritor archi-regocijante entre los que hoy manejan la péñola . . . el hombre más gracioso de España*," and she asks "*¿Es grano de anís escribir en familiar, pero genuino castellano, poseer un estilo, apoderarse de un género, escribir diariamente un artículo sazonado?*"

Not only was Taboada praised by writers of such standing, but he was a prophet honored in his own country. In August 1904, his native town named a street after him and gave a banquet in his honor. Upon this occasion he made a speech in which he had something to say about his purpose as a humorist, and his words remind one of what a Florentine novelist, the famous Sacchetti, wrote in the introduction to his collection of stories some five hundred years ago.

"En los periódicos el artículo de fondo, en las tristes horas por que atraviesa la patria, no puede menos de narrar desdichas y recordar desventuras casi á diario. La misión que mis aficiones por una parte y la benevolencia del público por otra, me han impuesto, no es más que llevar una especie de lenitivo al ánimo del lector, haciéndole ver que en la vida y aun en sus horas más amargas, si hay mucho tema para hacer llorar, no faltan tampoco los que hagan prorrumpir su franca y sana carcajada."

This was not the only time that Taboada disclaimed any intention of posing as a shrewd observer or teacher. In the preface to the *Madrid en Broma*, he says that all he does is to seek material wherever he can find it. If his glance falls upon a ridiculous scene he copies it, if he hears an absurd remark he publishes it — but he has no ulterior purpose, no desire to bring into salient relief the vices of society, no wish to guide man along the path of virtue.

"*Cada cual es como Dios le ha dado, y Cristo con todos.*"

At the same time Taboada has his aversions and there is one class of society, his especial province, which he often scourges with little mercy, the class made up of *cursis* and *cursilones*, men and women who are conscious or unconscious shams, who want to be what they cannot, who think they are adored and respected by the whole world and that "the sun rises every twenty-four hours for their sake." In dealing with these unhappy creatures Taboada's hand can be very heavy and his satire cruel. Again, because his humour is so truly that of the people, he delights in insisting upon the physical defects of his victims. Ugliness is always ridiculous in his eyes, never pitiable. If this be regarded as a defect it should be set down to his credit that the moral tone of his sketches is unexceptionable. Sometimes indeed, from our point of view which seems so silly and hypocritical to the Latin races, he is coarse, but the reader will never be shocked by the license which so often disfigures the works of his brother comic writers in France.

In making my selections I have confined myself to sketches which are frankly diverting, but even these in spite of obvious humorous exaggeration show how clever Taboada is as a painter of *costumbres*. Without any of the discomforts attending the reality his readers are introduced to certain phases of city life hidden from most travelers, the life in the streets, in the government offices, in humble households and cheap boarding houses. They make the acquaintance of a host of individuals and types of the Madrid world from the pompous, blatant deputy from the provinces to the very riffraff of the city. And this life is as distinctly national as that depicted by Mesonero when Madrid was more isolated from the outside world and less cosmopolitan.

I am under many obligations to my Spanish friends Don V. R. Goicoechea who first called my attention to the writings of Taboada and to Don F. Sarmiento whose intimate acquaintance with Taboada and knowledge of Madrid life stood me in good stead in clearing up obscure places in the sketches. I wish also to express my thanks to Professor C. H. Grandgent and to Professor J. D. M. Ford. Needless to say they are in nowise responsible for any errors or defects the book may contain.

MURRAY A. POTTER.

CUENTOS ALEGRES

I

CÓMO Y POR QUÉ VINE Á MADRID

En Vigo, donde nací, hice mis primeras armas periodísticas escribiendo en *La Oliva*, *La Concordia* y *El Faro* y en *El Meteoro*, semanario satírico republicano sanguinolento, del que fuí fundador.

Mis ilusiones todas se cifraban en venir á Madrid; pero mi padre se había negado siempre á dejarme volar, alegando, entre otras razones, la muy poderosa de que carecía de los medios necesarios para sostenerme lejos del hogar.

En marzo de 1870 *La Política* publicó un anuncio que decía así:

« D. A. B. desea un secretario particular, con nociones literarias, para acompañarle al extranjero en una comisión oficial. Hotel de París, cuarto núm. 4.»

En cuanto leí el anuncio y sin previo acuerdo de mis padres, escribí á D. A. B. diciéndole que yo era el hombre que él necesitaba, y que para ahorrarle cartas y trabajo podía adquirir informes respecto de mi persona dirigiéndose á D. Eduardo Chao, diputado á Cortes, ó al Sr. Urtasun, intendente militar, amigos ambos de mi familia, que, aunque me esté mal el decirlo, siempre fué honrada y bien quista.

D. A. B. contestó á los dos días diciendo:

«Muy señor mío: En vista de su carta, he adquirido informes de los Sres. Chao y Urtasun, y por ellos sé que pertenece usted á una distinguida familia. Me convienen, pues, sus servicios, y le remito una credencial de 8.000 reales anuales para Gobernación. Esto debe servir á usted de base para que se venga conmigo al extranjero en clase de secretario mío. Vamos á estudiar el sistema penitenciario en Francia, Inglaterra, Alemania, etc., por cuenta del Gobierno español.

«Póngase en camino cuanto antes y venga á verme al Hotel de París, donde resido.

«Queda suyo afmo. s. s. q. b. s. m.,

ANDRÉS BORREGO.»

Al leer este nombre, experimenté una gran alegría. D. Andrés Borrego, decano de los periodistas españoles, podría proporcionarme con su protección fácil acceso en los periódicos; y aunque yo desde mi pueblo había conseguido que *El Cascabel* y otros semanarios de la corte publicasen algunos trabajos míos, no me consideraba feliz mientras no me viese figurar entre los redactores *de planta.*

Llegué, pues, á Madrid, y fuíme corriendo á ver al Sr. Borrego, que me dijo con una tranquilidad admirable:

—Tiene usted buena pinta; pero ese chaquet no me gusta nada.

Aludía á un chaquet color de aceituna, muy de moda entonces en Vigo y que había sido hecho por un tal *Zaraza*, sastre famoso en todo aquel partido judicial.

—Ahora —siguió diciendo D. Andrés— debe usted presentarse en el Ministerio para tomar posesión de su destino, y dentro de ocho días, todo lo más, saldremos para París, que es donde debe comenzar nuestra comisión. Usted viene como secretario mío, y tendrá por dietas de viaje cinco duros diarios.

Creí morirme de júbilo y eché á correr hacia el Ministerio, donde presenté la credencial. Pusiéronme en el título la toma de posesión, y después me dijo el jefe: 5

— Ya sabe usted que mañana son los exámenes.

— ¿Qué exámenes? — pregunté sorprendido.

El jefe del personal, por toda contestación, me entregó un número de la *Gaceta*, publicado un mes antes, donde 10 aparecía un decreto ordenando que todos los oficiales subalternos de Gobernación sufriesen examen de determinadas materias para poder continuar usufructuando sus destinos, y que los que no fuesen aprobados quedaran cesantes *ipso facto*. 15

Todo mi júbilo se trocó en asombro y amargura.

— ¿Y cuándo son los exámenes? — pregunté con acento dolorido.

— Mañana.

— ¿Mañana? 20

Salí del Ministerio medio loco; busqué una librería; adquirí un ejemplar de la gramática, otro de la geografía y otro de la aritmética, y me pasé la noche *leendo*, *leendo*, como el capitán de la comedia de Serra.

Á las diez de la mañana del siguiente día daban comienzo los exámenes en el piso bajo del Ministerio de 25 Fomento.

Presidía el tribunal el Sr. Ferrer del Río, literato, historiador y alto empleado del Ministerio de la Gobernación. Jamás me pareció hombre alguno tan feo y antipático como aquel presidente que me dirigía miradas 30 escudriñadoras.

—¡Dios mío!—pensaba yo.—¿Por qué me mirará así?

Después supe que lo que producía su curiosidad era mi chaquet color de aceituna y mi aire de chico provinciano.
5 Yo no conocía á nadie y buscaba con los ojos una cara simpática entre todas aquéllas que me rodeaban. Por fin hubo una que me pareció mejor que todas las demás. Era la de Federico Sánchez Monje, un muchacho muy cariñoso, que al ver mi azoramiento y mi
10 zozobra, me preguntó:

—Usted no es de Madrid, ¿verdad?

—No, señor; soy de Vigo.

—¿Hace mucho que ha venido usted?

—Veinticuatro horas.

15 —¿Y está usted bien preparado para los exámenes?

—No, señor; hasta ayer á las doce no supe que me tenía que examinar.

—¡Caramba!—replicó Sánchez Monje.—Pues no doy dos cuartos por su destino. Dicen que el tribunal
20 es muy escrupuloso y muy rígido. Yo me he pasado todo el mes estudiando sin cesar, y aun así no me considero seguro. . .

Cuando estábamos en esto, el secretario del tribunal dijo:

25 —Se va á proceder al ejercicio ortográfico al dictado Prepárense ustedes á escribir.

Cogimos pluma y papel y prestamos atención.

El secretario comenzó así:

«El capitán desojábase ojeando las hojas de un manus-
30 crito. Revelábanse en él, hora tras hora, ora sus culpas, ora sus dolores, espiando á los que expiaban sus delitos. ¡Ay!—decía—si hay ahí, etc.»

Después de este ejercicio enrevesado, llegó el de las preguntas de gramática, geografía y aritmética, que teníamos que contestar por escrito. Después el de copia y redacción de documentos y otros.

Ello fué que los exámenes duraron tres horas largas, y que al día siguiente. . .

Al día siguiente, y con gran sorpresa mía, leí en una lista fijada en el Ministerio de la Gobernación que mis ejercicios habían sido aprobados.

Lleno de júbilo abracé á Sánchez Monje, única persona del Ministerio á quien conocía, y después de comunicar á D. Andrés Borrego el feliz resultado de los exámenes, me fuí á tomar un sorbete á Pombo (pues en Vigo por aquel entonces no había sorbetes) y á comprarme un chaquet negro, ribeteado de trencilla, á la calle de Preciados.

Y de este modo original hice mi entrada en Madrid.

II

UN SALVADOR INESPERADO

Cierta noche del mes de diciembre de 1871, mi primo Millán Astray fué á buscarme á la casa de huéspedes en que yo vivía para que le acompañara al teatro de la Zarzuela.

Habíanle proporcionado dos butacas en no recuerdo qué periódico, y quiso compartir conmigo la diversión.

Al salir del teatro sentimos la necesidad de tomar un refrigerio y nos encaminamos á la calle del Caballero de Gracia, donde el día anterior se había abierto al público una chocolatería catalana. En ella daban por un real una jícara de cierto cocimiento color de ladrillo, al que llamaba su inventor *chocolate económico.*

Cuando hubimos tragado la infame pócima, Millán registróse los bolsillos y exclamó preocupado:

— ¡ Caramba! No tengo dinero: creí que me quedaba una peseta, pero por lo visto me la he gastado *inconscientemente.*

— No es eso lo peor — repliqué palideciendo.

— ¿ Qué sucede?

— Que yo tampoco tengo ni un solo real.

— ¡ Demonio!

Durante un cuarto de hora permanecimos sentados el uno frente al otro, sin saber qué resolución adoptar ni cómo salir del atolladero. Los mozos comenzaron á mirarnos con cierta escama y á hablarse unos á otros misteriosamente.

—¿Qué hacemos?—dije á Millán.—Si no fuera tan tarde, yo iría á mi casa y le pediría á la patrona una peseta; pero si la despierto ahora será muy capaz de matarme. Además, vivo muy lejos.

—Tengo una idea—agregó mi primo.—En Fornos habrá á estas horas algún amigo que quiera sacarme del apuro. Espérame aquí.

Y, sin aguardar réplica, salió de la chocolatería corriendo.

Los mozos, al verle salir, se alarmaron en el primer instante, creyendo que yo le seguiría, pero mi quietud absoluta devolvió á su pecho la tranquilidad.

Pasó una hora. En la chocolatería no quedaba más parroquiano que yo. El dueño se puso á hacer el balance diario: después dió sus órdenes para que los mozos cerraran el escaparate y recogieran el servicio.

Yo sudaba como si estuviera en pleno agosto, y dirigía miradas cariñosas á los camareros. Aquellas miradas decían:

—No me juzguen ustedes ligeramente. Soy un hombre de bien, incapaz de cometer una picardía. En este instante no poseo cantidad alguna, pero pasado mañana cobraré mi sueldo de Gobernación y entonces podré pagar con exceso el importe de los dos chocolates.

Pero los camareros no sabían leer en mis ojos, y ya se preparaban á interpelarme, cuando penetraron en el establecimiento dos hombres. Uno de ellos era Millán, mi primo; al otro no le había visto en mi vida.

Millán sacó del bolsillo dos reales en cuartos, y dirigiéndose al mozo que nos había servido, le habló así:

— Tome usted el importe de los dos chocolates. Mañana vendré á darle la propina.

Dos segundos después Millán, su acompañante y un servidor de ustedes nos hallábamos debajo de un farol 5 de la calle de Peligros.

— Voy á hacerte la presentación de nuestro ángel tutelar — me dijo Millán, cogiendo de la mano al hombre desconocido. — Este joven simpático se llama Juan Camp de Padrós, y á él debemos nuestra libertad, comprada 10 por dos reales. De la chocolatería me dirigí á Fornos; dos amigos que allí se hallaban, y cuyo socorro solicité, carecían en absoluto de numerario; me encaminé entonces al Imperial, donde hay un mozo paisano mío que me quiere mucho y es quien me socorre en mis necesi- 15 dades; pero el mozo está estos días con un dolor de costado y no había ido al café.

Desesperado y loco, iba á intentar un ataque á mi patrona que, aunque irascible, tiene buen corazón, cuando la suerte puso en mi camino á este joven abnegado, á 20 quien conocí hace dos días en Capellanes. Contéle mi apuro, y él entonces me llevó á la calle de Jardines, donde tiene su domicilio. Allí buscó al sereno, y arrojándose en sus brazos le dijo: «Fepe, tú eres un hombre generoso y humanitario. Préstame una peseta.» El 25 sereno no llevaba encima más que dos reales, que se apresuró á facilitar á este joven generoso. Hé aquí la historia de mi odisea.

Estreché la mano de Camp de Padrós, que correspondió á mi saludo diciendo con marcadísimo acento cata- 30 lán:

— *No ma dé ustet las grasias. Hoy pur ti y mañana pur mí . . .*

Abracé á aquel chico simpático y heroico que en pleno diciembre llevaba un ligerísimo chaquet de lanilla, sin otro abrigo ni otra defensa contra los rigores de la temperatura, y desde aquel momento nos juramos amistad eterna.

III

AFINADOR Y MÁRTIR

Era yo empleado del Ministerio de la Gobernación y tenía fama de activo y laborioso; pero aun viéndome muy considerado por mis «superiores» y en camino de hacer carrera, toda mi ilusión la cifraba en escribir para 5 el público.

Por entonces las tareas burocráticas me impedían dedicarme en absoluto á la *amena* y *vaga literatura.* Escribía en mis ratos de ocio correspondencias alegres para los periódicos de mi pueblo, y de cuando en cuando 10 colaboraba en *El Cascabel*, que había sido resucitado por Frontaura.

Cada vez que aparecía un artículo mío en aquel periódico inolvidable, experimentaba un júbilo inmenso y no me cansaba de leer y releer mi nombre y apellido en 15 letras de molde. Yo enviaba al director los artículos, que iban saliendo cuando él quería; pero como no me mandaba el periódico, todos los domingos muy temprano me situaba en la Puerta del Sol esperando que los chicos lo vocearan para comprarlo inmediatamente; 20 y era tal mi emoción cuando veía en él mi firma, que alguna vez llegó á preguntarme el vendedor:

—¿Qué es eso, señorito? ¿Se va usted á morir?

Yo estaba á punto de contestarle:

—¡Si supiera usted quien soy yo! Está usted hablando 25 con este Luis que firma aquí abajo . . .

Pero me contenía porque no me llamara vanidoso, y corría á mi casa para saborear mis propias bellezas en la soledad de la alcoba, lejos de las miradas aborrecibles de la pupilera.

Yo solía ir á que me afeitaran en una peluquería de 5 la plaza de Antón Martín. El maestro, hombre de verbosidad abrumadora, supo un día que colaboraba en *El Cascabel*, y mientras se disponía á afeitarme me dijo alegremente:

— ¿ Conque es usted escritor y aquí no sabíamos nada ? 10

El carmín de la felicidad coloreó mis mejillas, y sólo tuve fuerzas para hacer un gesto afirmativo.

— ¡ Vaya, vaya ! ¡ Usted no sabe cuánto me alegro !

— Sí — añadió uno de los dependientes. — Desde que hemos sabido que escribe usted en *El Cascabel*, lo com- 15 pramos todas las semanas. ¡ Y qué bien pone usted la pluma ! — ¡ Ya, ya ! — afirmó el maestro. — Da gusto leer lo que usted saca de la cabeza. Aun ayer estuvo aquí un parroquiano y dijo que tenía usted *muchismo* talento. 20

La felicidad me embargaba y era tal mi alegría, que el maestro no pudo sujetarme el rostro y me cortó dos veces. Mientras duró la operación, los elogios fueron en aumento y jamás me ví tan obsequiado como entonces. El maestro se detuvo más tiempo que nunca en rizarme 25 el bigote.

— Basta; no se canse usted más — decía yo.

— Deje usted; yo á los hombres de mérito los trato con todas las consideraciones debidas. ¡ Para mí, el talento es lo más grande del mundo ! 30

— Gracias, no merezco . . .

— ¡ No se haga usted el chiquito, caramba !

— Vaya, abur, hasta otro día — balbucí dirigiéndome á la puerta.

— Páselo usted bien, D. Manuel — dijo el dependiente saludándome con una exagerada genuflexión.

— Vaya usted con Dios, Sr. Osorio.

Experimenté un horrible desengaño, y tuve que apoyarme en la barandilla de la escalera para no caer de bruces.

¡Me habían confundido con Osorio y Bernard!

Aquella lección que castigaba mi orgullo fué bien pronto echada en olvido, y me puse á escribir una pieza para Variedades. Cuando la tuve concluida corrí á ver á Luján, el famoso actor cómico, que me recibió mirándome con sorpresa, como si quisiera decirme:

— No tienes tú cara de haber hecho nada bueno.

— Es un juguete sin pretensiones — murmuré.

— ¿Un juguete? — contestó. — ¿Sabe usted lo que decía D. Julián Romea?

— No señor.

— Pues decía que al teatro no se viene á *jugar*.

Me sonreí para disimular mi amargura, pues aquellas frases me habían dejado frío.

— ¿Cómo se llama el juguete? — siguió diciendo Luján.

— *Afinador y mártir* — contesté yo ruborizado.

— Bueno; lo leeré y . . .

— ¿Cuándo quiere usted que vuelva?

— Cualquier día; mañana, pasado, dentro de una semana ó de dos. Eso queda á voluntad de usted.

Durante quince días estuve yendo á Variedades á diario.

Entraba en el saloncillo; me sentaba en un rincón y

allí me estaba desde las ocho hasta las doce de la noche, esperando que me dijera Luján:

— Ya he leído eso.

Pero ¡nada! No me lo decía.

Una noche, llamándome á su cuarto, me habló así: 5

— Mañana venga usted á las doce. Ya he dado á copiar eso y es preciso que usted se lo lea á los que han de representarlo.

¡Qué noche pasé! Daba vueltas y vueltas en la cama, y durante ocho horas estuve oyendo roncar á un comi- 10 sario de guerra retirado, que dormía en el gabinete, y sonaba como un fagot.

Entre el ronquido del comisario y el temor de que mi obra no gustara á los actores, me pasé toda la noche sufriendo, y á las doce de la mañana del día siguiente 15 estaba yo en el teatro, sentado ante una mesa leyendo con voz entrecortada mi *Afinador y mártir*.

Á los actores no les gustó la obra poco ni mucho, y cuando acabé la lectura se miraron silenciosamente. Tan aturdido estaba, que por coger mi sombrero cogí 20 un manguito de la característica y me lo quería meter por la cabeza.

— ¿Qué hace usted? — preguntó la característica riendo.

Luján tuvo compasión de mi estado, y murmuró á mi 25 oído:

— Á mí la obra me gusta. Mañana comenzaremos á ensayarla.

Durante los ensayos, sólo yo sé lo que padecí. Aquello me parecía un solemne desatino; los que yo había creído 30 chistes ingeniosos, eran majaderías y sandeces insoportables.

Una novia chata que yo tenía y á quien comuniqué mis tristes impresiones respecto del juguete, se puso á hacer una novena á San Nicanor para que me sacara con bien de aquella aventura, y la pobrecita estuvo rezando durante una semana, viniendo á salir á unos veinticinco padrenuestros un día con otro.

Y llegó la noche del estreno... ¡No me quiero acordar!

Mi novia y su familia estaban en un palco; varios compañeros de oficina en las butacas; mi patrona y su criada en dos delanteras de paraíso, y el comisario de guerra, que me aborrecía, en uno de los sillones de orquesta.

Yo los veía á todos por el agujerito del telón, y se me figuraba oírles decir:

—Ahora vamos á ver qué brutalidades se le han ocurrido á ese necio.

Cuando se me presentaron los actores, antes de dar principio la función, fué tal el efecto que su presencia produjo en mí, que tuve que apoyarme en la pared del saloncillo.

—¡Ay! ¡Yo me muero!—exclamé abrazando á Luján.

—¿Qué es eso? ¿Se va usted á caer?— preguntó alarmado.

Y como yo no tuviese fuerzas ni para contestar, mandó al avisador que fuese corriendo al café de Zaragoza y me trajera una taza de tila.

Entre todos me obligaron á tomarla; y me decía la primera actriz cariñosamente:

— Vamos, serénese usted, que la cosa no es para tanto. Cualquiera diría que ha cometido usted un crimen.

—Sí, señora. Lo he cometido y me arrepiento de todo corazón; pero no lo volveré á hacer...

Yo no quería presenciar la ejecución del juguete; pero Andrés Ruesga, que era uno de los actores que en él tomaban parte, me obligó á permanecer entre bastidores. Allí, arrimado á un telón recién pintado, estuve sufriendo un horrible martirio, sin fijarme en que la pintura se me 5 adhería á los pantalones.

Juanita Espejo, una actriz muy graciosa y muy lista, arrancó el primer aplauso, y yo entonces experimenté un dulce consuelo.

Después hubo aplausos para Luján, para doña Concha, 10 la característica, para Mercedes García, la primera actriz, y para Ruesga. Toda mi amargura se trocó en felicidad.

El público me había llamado á escena, y sin saber cómo me ví delante de la concha del apuntador, no sin tropezar antes con los trastos, con los actores y con la 15 concha misma.

En medio de mi perturbación ví al comisario que se levantaba de su localidad haciéndome un gesto desdeñoso, y ví á mi novia, en cuyos ojos brillaba la dicha y el orgullo. 20

— ¡ Bendita seas, chata de mi corazón! — exclamé entusiasmado.

Al día siguiente decía *El Diario Español* al dar cuenta de mi *estreno:*

«El autor fué llamado á escena, y pudimos notar que 25 llevaba manchadas las rodilleras del pantalón, cosa que nos explicamos fácilmente. El desgraciado había estado en oración, pidiendo al cielo que le perdonase sus muchas faltas.»

IV

DE VIAJE

Dejo á Barcelona entregada á su industria poderosa y á sus hábitos mercantiles y me vuelvo á Madrid, donde me espera una vida de trabajo periodístico, mucho más enojoso que el que realiza el forjador junto á la fragua.

5 Llego á la estación del ferrocarril en busca del tren que ha de conducirme á la corte, y advierto con profunda sorpresa que el andén está lleno de peregrinos de todas clases, procedentes de Roma y que se disponen á regresar á sus pueblos respectivos.

10 En mi coche penetran varios, y entre ellos una señora con una perra, á la que trata de ocultar en el seno para no incurrir en las iras de los empleados. Dice la señora que no se ha atrevido á embarcarse en la capital del Principado y se vuelve á su tierra sin haber tenido «el 15 gusto» de recibir la benedición apostólica. La perra, que es muy juguetona, salta sobre mis rodillas y se pone á escarbar encima de mis pantalones como si estuviera en el campo.

— Celina — le dice su ama cariñosamente, — lame á 20 este caballero para manifestarle tus simpatías.

— No, señora — contesto yo, — dígala V. que no se moleste.

— Quiero que vea V. su docilidad.

La perra dirige á la señora una mirada de infinita ter-25 nura y se pone á lamer á los viajeros, uno por uno, hasta que llega á un fabricante de corchos, hombre iracundo, sin fe religiosa, ni aseo personal, que al sentirse lamido suelta un terno y quiere matar á la perra con el lío de los paraguas.

Los demás viajeros conseguimos tranquilizarle, y la 5 señora se ve acometida de un estremecimiento nervioso y comienza á herir la delicadeza del fabricante desatándose en improperios contra los corchos, hasta que llega el interventor del tren y exige el billete de la perra con mal talante. 10

— ¿Cómo? — grita la señora. — Un animalito que no pasa de los seis años, ¿va á pagar billete entero, como si fuese una persona mayor?

— No hay más remedio.

— Pues esto es un abuso, y en cuanto llegue á Madrid 15 se lo contaré todo á Conejo, que es de la mayoría parlamentaria y se tutea con un primo de Salvador.

Al fin se conmueve el empleado, y exige sólo por la perra el importe de medio billete, considerándola niña de lanas.

Y en éstas y las otras llegamos á Manresa, donde hay 20 varios viajeros esperando el tren para tomarlo poco menos que á la bayoneta.

La señora se pone de pie delante de la portezuela á fin de evitar el asalto, pero ellos no cejan en su propósito y atropellan todo lo existente. 25

Entre los recién llegados figura un teniente de carabineros que viaja con un saco de noche, dos sombrereras, una escopeta de dos cañones y un manojo de sables atados con un cordel. La perra ve aquellos instrumentos mortíferos y se pone á ladrar como una loca. 30

— Aquí no hay sitio para todo ese equipaje — dice la señora estrechando á la perra contra su corazón.

—¿Que no?—contesta el militar sonriendo.

Y deja caer los bultos sobre el almohadón del coche; después se quita las botas, abre el saco de noche, saca unas babuchas que parecen dos orejas de elefante y se las calza con la mayor tranquilidad murmurando:

—¿Ve V. como hay sitio para todo?

La señora se muerde los labios.

Detrás del teniente penetran dos curas y se sientan encima de la perra, haciéndola prorrumpir en sollozos agudos. Entonces ocurre lo que no puede referirse; la señora pierde la calma y quiere arañar al clero; el fabricante se subleva porque le ha pisado la señora un juanete; ruge el carabinero y se asustan los sacerdotes hasta que se restablece la calma y cada cual busca el medio de descansar mejor.

Un peregrino se sienta á mi lado, apoya la cabeza en mi hombro y se queda dormido, rozándome dulcemente la mejilla con la media docena de pelos que adornan su frente. Otro peregrino saca un salchichón, que parece una escopeta, y se pone á comer rajas y á tararear un himno piadoso. Algunas veces va á levantar el salchichón y me da con él en la cabeza.

Cuando llego á Madrid quiero abrazar á un amigo que me espera en la estación y las fuerzas me faltan.

—¿Qué tienes?—me pregunta.—¿Estás malo?

—¿Cómo quieres que esté un hombre que ha venido desde Barcelona debajo de dos peregrinos, y amenazado constantemente por una perra, una señora y un salchichón?

V

¡MI MISMO NOMBRE!

¡Qué sastre aquél! ¡Qué hombre tan fino y tan cariñoso!

Cuando fuí á que me tomaran medida del traje, el hombre se deshizo en obsequios.

—Tome usted un cigarrito—me decía alargándome la petaca.—¿Quiere usted un fósforo? Siéntese usted en este rincón que estará más abrigado. 5

Después nos pusimos á escoger la tela.

—Guíese usted por mí. Lleve usted ésta que es de mucha duración. Quiero que salga usted satisfecho de mi casa. Mire usted, mire usted, qué punto de color tan elegante. Días pasados le hice un traje igual á D. Venancio González. 10

Todo aquello me sedujo y acabé por aprobar la elección del maestro, que me llevó á un cuartito obscuro y se puso á medirme la espalda, y los brazos, y el pecho y todo lo demás, diciendo con voz campanuda: veintidós . . . cuarenta y cinco . . . . once . . . . dieciocho. . . . 15

Un dependiente iba apuntando estas cifras en un cuaderno, y yo me dejaba sobar por el sastre sin oponer la menor resistencia. 20

—Ya sabe usted que quiero larguita la manga—me permití decirle.

—Y él contestó con cierto orgullo de artista sublime:

—Ya lo sé, hombre, ya lo sé. 25

—El cuello altito.

— No tiene usted que hacerme ninguna advertencia.

— Es que. . .

— Á callar. . . .

5 Habíamos convenido en que yo le daría diez duros en el acto de entregarme las prendas, y los otros diez á fines de octubre. Una mañana entró en mi cuarto el dependiente y mostrándome el traje nuevo me habló así:

10 — Dice el maestro que se lo pruebe usted por si tiene algo que corregir, aunque no lo creemos.

Quise ponerme el pantalón y no me entraba por los pies.

— Eso se arregla al momento — dijo el dependiente.

15 Fuí á probarme la americana y parecía una blusa de ésas que usan los papelistas.

— ¿Pero esto qué es? — hube de preguntar al dependiente.

—Que ha salido un poco ancha, pero tiene fácil 20 arreglo.

Y cogiendo las prendas salió de mi casa diciéndome:

—Cuando usted pueda, pásese por casa y el maestro hará las correcciones oportunas.

El maestro no me recibió con la amabilidad acostum-25 brada. Antes por el contrario, comenzó á gruñir al ver que el pantalón estaba estrecho, y la cazadora ancha y el chaleco corto.

— Á ver; vuélvase usted — me decía empujándome sin ninguna consideración.— Tiene usted el cuerpo más 30 irregular que he visto en toda mi vida. Encoja usted el vientre, hombre de Dios. Suba usted esos hombros, levante usted el brazo. . . .

El traje, después de muchas reformas quedó convertido en un adefesio; pero no tuve más remedio que admitirlo, y lo que es peor dar las cincuenta pesetas convenidas.

—Ya sabe usted que á fines de octubre, debo recibir los otros diez duros, me dijo el sastre al despedirme.

—Sí, señor; pierda usted cuidado.

Pero á los ocho días me dejaron cesante y comencé á comer mal y á sufrir todo género de privaciones. Llegó mi desgracia hasta el punto de tener que renunciar al amor de una señorita, á quien obsequiaba frecuentemente con yemas de coco.

—¿Me traes las yemas?—me preguntó un día.

—No, cielín—le contesté.

—Tú ya no me amas, Secundino—replicó ella.

—Más que á mi vida—exclamé yo.

Pero la mamá intervino en el asunto, asegurando que el hombre que no obsequia á la mujer amada no merece consideración, y dijo, por último, con acento de amargo reproche:

—¿Dónde están aquellos *bisteques* con que nos obsequiaba usted al principio de *nuestras* relaciones?

Yo enmudecí, apoyé la cabeza entre ambas manos, y fuíme á casa para no volver á la de mi encantadora Mariquita.

Al día siguiente recibí carta del sastre. Rompí el sobre y me puse pálido.

La carta decía:

«*Sr. D. Secundino López.*

«Tres beces estubo eldependiente ácobrar las 50 pesetas que usted me hadeuda, lo cual quespero me las rremita sinperdida de tiempo.»

¿Dónde encontrar las 50 pesetas? ¿Dónde? Recurrí á la amistad; escribí á un tío sacerdote que tengo en Vigo, y que me contestó enviándome su bendición y una merluza. Todos mis pasos fueron inútiles; *pero* á los ocho días recibí otra carta del sastre, diciendo que me iba á dar un golpe dondequiera que me encontrara.

Y desde aquel momento ya no tuve reposo. Á cada paso creía ver los ojos del sastre que me miraban con ira reconcentrada; no me atrevía á salir á la calle, ni á pisar fuerte, ni á estornudar, temiendo que mi acreedor estuviese escondido detrás de la puerta.

Cada dos ó tres días llegaba á mis manos una carta de mi verdugo concebida en esta forma:

« Donde le encuentre á usted, le estropeo »

Una tarde tuve que salir de mi domicilio contra todo mi deseo. Habíame citado un personaje para ver si era posible meterme en ferrocarriles. Yo iba ocultando el rostro con el embozo de la capa, y de pronto . . . ¡horror! . . . ví al sastre parado en una esquina, con un palo muy gordo en la mano derecha y unos ojos verdes ribeteados de grana, que despedían chispas.

—¡Dios mío! ¡Él!—dije yo sintiendo que mis piernas flaqueaban y que el corazón latía con violencia.—¿Dónde me meto? Ese hombre está esperándome para cometer conmigo un atropello. . . No me queda más recurso que subir á una casa cualquiera. ¡Pero él me seguirá! ¡De seguro! . . . Ya sé; voy á llamar en cualquier piso; preguntaré por el primer nombre que se me venga á la boca . . . Preguntaré por mí mismo. Sí, daré mi nombre y así no me expongo á que me contesten afirmativamente.

Y subí las escaleras de una casa de lujoso aspecto.

Llegué al piso principal y apoyé el dedo en el botón del timbre.

—¿Quién?—preguntó un criado por el ventanillo.

—Servidor.

—¿Á quién busca usted? 5

—¿No vive aquí D. Secundino López?

—Sí, señor; pase usted.

—(¡¡ !!)

VI

¡EH, Á LOS TOROS!

Todas las impresiones dolorosas, todos los sufrimientos generosos, todas las tristezas patrióticas, desaparecen ante la perspectiva de una función extraordinaria de toros.

El día 11, por la mañana, la *verdadera afición* acudirá al apartado y discutirá las condiciones físicas é intelectuales de las reses, con sólo mirarlas desde el balconcillo del corral.

—Aquel negrito, cornicorto, va á dar mucho juego, —dirá un aficionado de pura sangre.

—No lo crea usted; es mejor el de la derecha: aquel retinto en colorado; me parece mucho más toro por varios conceptos,—replicará otro inteligente.

—El mejor es aquel cárdeno que está lamiéndose el hocico junto al burladero. ¡Mire usted qué mirada tiene tan viva!

—Para toro uno que echaron en Zaragoza en las fiestas del Pilar hace diez años. ¡Vaya un toro aquél! Tuvieron que matarle á tiros entre un cabo de la guardia civil y un guarnicionero de Calatayud.

—¡Qué atrocidad!

—Era negro, albardao, ojo de perdiz y bizco del derecho. ¡Y qué inteligencia la de aquel animal! Salió del toril y se puso á mirar á los tendidos, como si buscase algo. Después supimos que quería ver si estaba allí el secretario del Gobierno civil, que era amigo suyo. . .

— Hay toros de muy buenos sentimientos.

— Parecen personas, mal comparados.

— El toro es animal muy noble, por lo general. 5

— Y muy inteligente.

— ¡Hombre! Á mí me han asegurado que un toro del duque sabía bailar sevillanas.

— Los hay que hasta conocen el latín.

Si no se agua la fiesta, tendremos gran jaleo la tarde 10 del 11. Los revendedores harán su agosto y los taberneros dirán al aguador:

— Hoy traerás seis cubas en vez de cuatro.

— ¿Se va usted á bañar?

— No; es que espero vender mucho *mollate* con eso de 15 la corrida extraordinaria.

Aquella tarde las oficinas públicas quedarán desiertas, y muchas señoras de su casa abandonarán sus quehaceres para acudir á la calle de Alcalá, con objeto de ver «la salida de los toros.» 20

Pasarán los ómnibus llenos de aficionados, alegres y bulliciosos, y más de una esposa amante esperará el regreso de su esposo rodeada de sus tiernos hijos. . .

— Allí viene papá.

— ¿Dónde, dónde? — preguntan los niños. 25

— ¿No le veis con su sombrero sevillano y su bastón? Aquí, Agapito, aquí estamos esperándote.

Los chiquitines, en cuanto ven aparecer al papá, se le agarran á las patas y le besan las rodilleras del pantalón dando gritos de alegría. 30

Cualquiera, al ver aquellas demostraciones de afecto, cree que el papá regresa de América.

— ¡ Hola ! — dice el recién llegado dirigiéndose á su esposa. — ¿ Habéis esperado mucho ?

— No; dos horas y media. ¿ Y los toros?

— ¡ Pchs! Regulares nada más.

—¿ Ha habido alguna cogida ?

— Nada, mujer; ni siquiera un mal revolcón. Ya no hay toros, ni toreros, ni vergüenza.

— Mira, mira cómo tiene ya las botas este demonio de chico. . . Ven acá, Agapitín; enséñale las suelas á papá.

— No me vengas con cosas tristes en estos momentos . . . Ea, á casa. Parece que tienes gusto en agriarme la corrida.

El matrimonio se dirige á su hogar, tan satisfecho como si acabase de cumplir un deber patriótico, y aquella noche los niños cenan judías y medio huevo por cabeza, porque es lo que dice el papá:

— Hay que tomar las cosas como vienen. ¡ Mientras no me falte lo necesario para ir á los toros! . . .

VII

NUESTRAS PLAYAS

Bueno será que la gente del Cantábrico anuncie el año que viene, con la debida antelación, los motines que piensa realizar, á fin de que los bañistas sepamos á qué atenernos.

Nada tiene de agradable esto de ir á veranear á San Sebastián ó á Santander y verse á lo mejor metido en una marimorena, como le ha pasado á una familia respetable que estaba en el *boulevard* tomando el fresco y de pronto se vió arrollada por el oleaje humano.

Ayer nos refería el suceso la señora de la casa:

— Aquello fué horrible — decía. — Á mi niña la mayor tuvimos que sacarla de entre los pies de los guardias de orden público y á mi esposo le dieron en la cabeza con un niño de seis meses, sobrino de un inspector. Yo estuve expuesta á que me estropearan entre dos guardias civiles. . . .

Ahora, con motivo de la algarada de Santander, sufrieron achuchones de más ó menos consideración unas señoritas de la calle de Juanelo que habían ido á tomar baños y á ver de paso si encontraban un marido fresco y de buena posición. Á una de ellas la condujeron las turbas hasta el Ayuntamiento y allí la arrojaron sobre unos municipales; á la otra le metieron la cabeza en un pilón confundiéndola con una prima segunda del gobernador civil, y las pobres protestaban inútilmente de que no tenían parentesco con las autoridades.

—Somos las señoritas de Pulgón, ajenas á las cuestiones de localidad—decían á voz en cuello; pero los amotinados continuaban ofendiéndolas de todos modos, y en poco estuvo que no las destruyeran completamente.
5 Gracias á Dios, la temporada balnearia toca á su término, y casi todos los bañistas han regresado á sus hogares; por consiguiente, los nuevos motines que ocurran perjudicarán tan sólo á los vecinos de cada población; pero bueno sería que para el año próximo se repartieran
10 programas en que constase la fecha de los motines y sus resultados probables. Con esto podríamos echar nuestras cuentas y habría quien se dijese:

—¡Hombre! El día 8 hay motín en San Sebastián. Me voy allí corriendo en busca de emociones.
15 En cambio, los enemigos de las algaradas aplazarían su viaje ó se mandarían hacer un trajecito de corcho para salir de paseo en días de *bronca*.

Hay quien dice que el motín de Santander obedece á cierto espíritu de emulación respecto de San Sebas-
20 tián. Los santanderinos no han querido ser menos que los guipuzcoanos en punto á desórdenes, y promovieron el de la semana pasada, que gustó mucho á los inteligentes.

Ahora los de Vigo pensaban también armar uno
25 gordo, para que no se dijera que aquella playa estaba por debajo de la de San Sebastián y Santander; pero tuvieron que aplazarlo hasta el verano próximo, en vista de que ya no quedaban allí forasteros. Una comisión de vigueses ha quedado encargada de redactar el pro-
30 grama, que constará de tres partes.

1.ª Gritos subversivos y *guernicaco vigués*, cantado por doce señoritos disfrazados de demagogos con canana.

2.ª Rotura de faroles, pedradas sueltas y arrastre de un pelele, vestido de jefe superior de administración civil.

3.ª Desesperación de las clases pudientes, ayes de angustia, desacato á las autoridades y derramamiento de alcohol alemán en la via pública.

Los demás puertos marítimos disponen también su programa para el año próximo, á fin de amenizar la existencia de los forasteros y proporcionarles emociones. No quieren que éstos pregunten:

—¿Á qué hora es el motín?—Y se vean en la triste necesidad de contestarles:

—Á ninguna. No hemos tenido tiempo de prepararle.

Ya lo saben los excursionistas veraniegos: establecida la costumbre de los motines en las playas de moda, existen nuevos alicientes para el forastero levantisco: el que ame el reposo debe permanecer en Madrid, donde ha concluido definitivamente la casta de los revolucionarios. Quedan seis ó siete de la clase de platónicos, que se pasan la vida preguntando á los transeuntes:

—¿Qué hay? ¿Á qué hora es la efusión de sangre?

Pero no pasan de ahí.

En cambio, el que tenga valor para veranear el año próximo, no debe echar en olvido el árnica, porque es cosa sabida que hoy los baños de mar se toman á garrotazos.

VIII

¡¡SIN CERILLAS!!

La empresa monopolizadora de las cerillas se ha propuesto matarnos á disgustos. Los fósforos que expende son detestables, pero en cambio cuesta un triunfo saber dónde se compran. No las hay en los cafés, ni en los estancos ni en la calle, y algunas veces oímos decir, como quien ha encontrado la piedra filosofal:

—¿Sabe V. dónde me han dicho que hay cerillas del monopolio? En una casa de la carretera de Aragón, cerca del fielato.

Y allí acudimos todos, llenos de ansiedad, en busca del codiciado combustible. Frente al café Suizo suele haberlo también, pero el puesto se cierra á cierta hora de la noche, y ya no es posible encender el cigarro, como no se apele á la benevolencia de los serenos, que facilitan el farol á los transeuntes, diciéndoles:

—¡Qué cosas, señor, qué cosas pasan! ¡Mire V. que estancar las cerillas! El día menos pensado nos estancan las habichuelas y el cocido. Yo ya me canso de abrir el farol, y el mejor día va á venir á pedirme fuego el propio Gamazo.

Hoy cuesta casi tanto trabajo conseguir un fósforo como una senaduría vitalicia, y el infeliz mortal que no tiene la precaución de comprar una caja antes de las doce de la noche, ni puede fumar, ni subir la escalera, ni divertirse.

No hace muchas horas que me encontré en la calle de Alcalá con D. Jacobo, mi paisano, que venía de la Zarzuela y había recorrido inútilmente todos los cafés de la corte en busca de fósforos.

—¿Cómo subo la escalera de mi casa?—exclamaba él.—¿Tiene V. ahí un par de cerillas?

—No, señor; las dos que me quedaban acabo de cedérselas á un amigo del corazón, que ha sido para mí un segundo padre.

—¿Y qué hago yo ahora?

—Que le alumbre á V. el sereno.

—No puede ser, porque estamos reñidos desde las últimas elecciones.

—Pero ¿no sabe V. subir á oscuras?

—No, señor; es una escalera la mía con la que no tengo ninguna confianza.

Y el pobre hombre se sentó en el umbral de su domicilio, esperando que llegase algún vecino trasnochador.

Á todos cuantos pasaban les pedía un fósforo por la Virgen del Carmen, y sólo obtenía contestaciones del tenor siguiente:

—¿Un fósforo? ¿Sabe V. lo que pide? Aunque me diera V. una peseta.

Otros le decían con acento burlón:

—Fosforitos, ¿eh? Espere V. sentado. Para conseguir una caja he tenido que ir hasta la Guindalera.

Á las dos de la mañana el pobre hombre se había quedado dormido, con la cabeza apoyada en el dintel, hasta que los guardias de seguridad fueron á despertarle, diciéndole:

—¡Eh, buen hombre! Aquí no se puede dormir.

—Es que no tengo cerillas.

— Pues fastidiarse, como nos fastidiamos todos.

Entonces él se decidió á abrir la puerta y á introducirse en su domicilio, á riesgo de romperse la crisma. Los primeros escalones los subió perfectamente, apoyándose en la pared, pero no tuvo la precaución de contarlos, y por llamar en el cuarto tercero, que era el suyo, llamó en el principal, donde vive un coronel retirado, hombre de genio irascible, que oyó la campanilla y saltó del lecho armado con un revólver de siete tiros.

— ¿Quién va? — preguntó desde dentro.

— Abre — dijo D. Jacobo, confundiendo la voz del coronel con la de su criada.

Por toda contestación, el irascible coronel introdujo el cañón del revólver por el ventanillo y comenzó á hacer disparos.

— ¡Socorro! — gritó D. Jacobo echando á correr escaleras abajo.

Pero como no veía dónde colocaba el pie, creyó ponerlo en firme y lo puso en el espacio, yendo á dar de bruces contra la puerta del entresuelo.

El revólver del coronel había despertado á los vecinos, que acudieron asustados á la escalera, y unos gritaban y otros querían prender á don Jacobo, creyéndole un ladrón formidable, hasta que subió el portero y puso las cosas en claro.

Y entre los gritos de las señoras, las censuras de los caballeros y los apóstrofes del coronel, que se disponía á disparar otros siete tiros, oíase la voz de D. Jacobo, que decía tristemente:

— No me echen Vds. la culpa á mí. Echénsela Vds. á la compañía monopolizadora de las cerillas, que nos está matando á disgustos.

IX

CARTA ÍNTIMA

Señor Alcalde Mayor:

Muy señor mío, de todo mi respeto. En nombre de varias perras inocentes me dirijo á V. E. para suplicarle que nos libre de los laceros, nuestros verdugos, y nos devuelva la paz que hemos perdido. 5

Han pasado los días calurosos del verano, durante los cuales vivimos expuestas á que se nos declare espontáneamente la hidrofobia, ó á que nos muerda algún amigo sin saber lo que hace. Bueno que entonces dicte V. E. toda clase de medidas para evitar cualquier accidente desgraciado; pero ahora, que ha llegado el invierno, y con él la disminución del peligro, no comprendemos por qué continúa la inicua persecución, hasta el punto de arrebatarnos del regazo de nuestros protectores. Un perro cariñoso y bien parecido, que dormía ayer en los brazos de una portera, fué despiadadamente *raptado* por un lacero feroz, que, no contento con privarle de la libertad, le tiraba de la cola, como si quisiera recrearse en su martirio. Esto es cruel, señor Alcalde. 10 15

Nosotras, aunque perras, tenemos nuestras pasiones, y hay quien está enamorada y no puede ver al objeto de su amor, porque en cuanto se descuida y saca el hocico por la puerta de la calle, ya está el lacero cogiéndola por donde mejor le parece, sin respetar el sexo ni el pudor natural de cada una. 20 25

Antes salíamos á dar una vueltecita, y nos distraíamos ladrando á los transeuntes, ó bien conversábamos con las amigas, y nunca faltaban perros galantes que nos echaban piropos; ahora vive una encerrada entre cuatro 5 paredes, y si sale, la llevan atada con un cordoncito, como á una mona, por miedo á los dependientes de V. E., que, aun así y todo, nos atropellan sin piedad.

Una amiga nuestra, falderilla candorosa, que iba la otra tarde con su ama por la calle de Cedaceros, fué 10 vilmente secuestrada, á pesar de las protestas del público, y la infeliz, al verse en el carro entre perros desconocidos, tuvo una sofocación tan grande, que á poco más se muere encima de un perdiguero cojo.

V. E. no sabe lo que estamos pasando desde que se ha 15 establecido el cuerpo de verdugos municipales. Yo no salgo de casa ni me atrevo á asomarme á la escalera, donde antes me pasaba los mejores días de mi juventud ladrando á los vecinos. Ahora lo único que hago para distraerme es morder al aguador y aullar todas las tardes 20 un ratito, mientras canta una señorita de la vecindad, que es alumna del Conservatorio.

En casa me aburro muchísimo, especialmente cuando me acuerdo de *Palomo*, que es un perro rubio, con ojos azules y un lunar en la frente, color de canela. Le co-25 nocí una tarde en la Castellana, yendo él en compañía de varios amigos, uno de los cuales era marido de una vecina mía. Yo ví á *Palomo*, y experimenté una emoción desconocida; él notó mi turbación y vino á lamerme con la mayor finura, que es la manera que tienen los pe-30 rros de expresar sus sentimientos cuando son puros; desde aquel momento comenzó á pasear mi calle, y á entrar en la portería para congraciarse con el chico de la portera, que es medio tonto. Metido en el cuchitril se pasaba las horas esperando que yo bajara, y si, mientras, podía llevarse un hueso, ó comerse unas sopas, ó robar una piltrafa, no desperdiciaba nunca la ocasión, hasta que un día la portera, irritada, le dió dos escobazos, y él se ofendió de tal suerte, que no le hemos vuelto á ver por el barrio. 5

¿Pero cómo ha de venir, si los laceros han sembrado el pánico entre nosotros? ¡Claro! Él no querrá exponerse á que le prendan como si fuera un criminal, y le estropeen el físico. 10

Bueno que á los perros que no tienen dueño y andan por ahí deshonrando á la clase y metiéndose en los figones, en busca de desperdicios, se les persiga y se les lleve al depósito municipal; pero á los que pertenecemos á la clase decente, y llevamos collar y somos aseados, ¿por qué se nos secuestra? ¿Por qué se nos priva de los derechos que disfrutan los demás animales, empezando por el gato y concluyendo por el tomador? 15

¿Se quiere salvar de todo riesgo las pantorillas públicas? Pues póngasenos bozal, aunque esto destruya nuestros encantos físicos, porque se sabe que el bozal perjudica nuestras facciones; pero la persecución de hoy es injustificada, irritante, odiosa. 20

Á V. E., pues, nos dirigimos, Sr. Alcalde, para que cesen los abusos y se nos devuelva la paz perdida. Termine de una vez la era infausta que nos aniquila, y merezca V. E. la admiración y la gratitud del gremio de perras pobres, pero honradas. 25

Lame respetuosamente las manos de V. E., su segura servidora, de lanas, ZULIMA. 30

X

CUESTIÓN PAVOROSA

El alcalde ha dado sus órdenes para impedir que sean puestos á la venta los pavos enfermos. Parece que hay algunos con las viruelas, y á fin de evitar la propagación del terrible azote, se les ha alejado de sus compañeros, 5 obligándoles á residir en corral aislado.

Esto ha producido las naturales protestas entre aquellos infelices; y en prueba de ello damos cabida á la siguiente carta, que ha llegado á nuestro poder por conducto desconocido:

10 «Señor redactor: Supongo á usted enterado del bando cruel del señor alcalde, que me condena al aislamiento y al odio público, *so color* de que tengo las viruelas.

«Yo soy un pavo de buena índole, que he venido á Madrid con mi esposa é hijos, dispuesto á dejarme in-15 molar en beneficio del hombre, porque conozco mis deberes y sé que he sido creado para el fogón como otros lo fueron para gobernadores civiles ó para senadores vitalicios.

«Pero lo que no puedo resistir es que se me abandone 20 á mi triste suerte separándome de mi familia. ¿Tengo yo la culpa de que se me haya presentado la erupción?

«Va V. á ver si soy desgraciado. Yo llegué á la corte bueno, robusto y sin un mal dolor de cabeza, y eso que hemos venido en un tren de mercancías al lado de unas 25 cestas de merluza, que olían á demonios. Ya en la corte, comencé á sentir algo de desazón en la sangre y así como vértigos, y dije á mi esposa:—« Pura, yo no me siento bien.„—« Eso es flato,„—contestó ella, porque conoce mi temperamento, y se fué á cuidar de los chiquitines; pero á mí no se me quitaba el ardor del cutis y tuve que apoyarme en un compañero para no caer á tierra desvanecido. Lo que sucedió después no puedo contarlo, porque mis recuerdos se pierden en un golfo de confusiones.

« Hoy me veo aislado, triste y calenturiento, sin asistencia facultativa y sin nada. El veterinario municipal me ha tratado con el mayor despego y no ha sido para recetarme ni unas malas píldoras, aquí donde las hay para todo: para la calentura, para la tisis y hasta para evitar que les caiga el pelo á los gabanes baratos. Pues bien, el facultativo en cuestión, se ha limitado á decir á mi dueño:—« Este pavo está nervioso; hay que aislarle.„ ¡Cruel! ¿Es así como se atiende á la salud pública de los pavos del reino?

« La caridad no existe, señor redactor. ¿Qué es lo primero que han debido hacer conmigo? Provocarme el sudor. Eso lo sabe cualquiera; pues bien, yo no puedo sudar porque estoy desabrigado y porque duermo bajo un mal cobertizo, junto á unos compañeros, variolosos también, con quienes no tengo la menor confianza, pues son de otra provincia y hasta tienen otro acento. Si á uno que está delicado como yo se le priva de los consuelos de la amistad y de los cuidados de una esposa, ¿cómo es posible que logre reconquistar la salud?

« Yo, aunque pavo, tengo un corazón sensible y me paso el día acordándome de mis pequeñuelos que han vivido á mi lado hasta ahora, libres de todo temor y sin saber que había alcaldes en el mundo. ¿Cuál no será su desesperación al verse alejados de su papaíto?

«Nunca he sido feliz completamente, porque la felicidad no existe ni aún entre nosotros los pavos, pero desgracia como la que ahora me aflige no la había experimentado ni en la época de mis relaciones amorosas con Pura. Entonces tuve que luchar con la oposición de su familia, que veía con malos ojos nuestros proyectos de enlace.

«Su papá era un pavo del antiguo régimen, enemigo de los viajes en ferrocarril y de las trufas, y yo, por el contrario, amaba las conquistas del siglo, y deseaba ser asado á la moderna. Esta divergencia de opiniones fué causa de todo género de disgustos, hasta que una noche cogí á Pura y me la llevé al corral de un amigo, donde se celebró nuestro matrimonio. Mi suegra, sumida en la desesperación, se arrancaba con el pico las plumas de los alones, y no me perdonó nunca aquel rapto. Cuando más tarde la trajeron á Madrid para ser asada, su último graznido fué para maldecirme. Mi suegro, menos cruel, dobló el cuello, enviándonos su bendición y muchas memorias para los chiquitines.

«Esto lo hemos sabido por un pavo forastero que se salvó de la cazuela á causa de un bulto que le había salido, y hoy vive en provincias retirado de los negocios y las cocineras.

«¡Ay, señor redactor! Cuando se logra vencer todo género de dificultades y constituir una familia, ¡cuán triste es verse como yo me veo, solo y abandonado por la mala voluntad de un alcalde, á quien no he hecho daño alguno!

«Llame V. la atención del país acerca de este abuso

irritante que se comete con nosotros los pavos enfermos. ¡Por qué se nos abandona? ¿Por qué se nos separa de nuestras familias?

«Estamos conformes con que se nos coma, porque para eso hemos nacido; pero que se nos aisle y no se nos den medicinas. . . ¡Eso subleva el ánimo!

«Haga V. el uso que quiera de esta carta, y reciba el testimonio de gratitud de su mas afectísimo servidor, q. s. m. b., *Aniceto Zancudo* (*cabeza de familia y pavo*).„

XI

EN POS DE LA SUERTE

Los aficionados á la lotería de Navidad tienen que hacer toda clase de esfuerzos para conseguir que se les facilite el papelito anhelado.

En todas las administraciones se lee el siguiente desconsolador aviso:

NO HAY BILLETES

—¡No hay billetes! ¡Qué desgracia! — dice un jugador empedernido, llevándose las manos á la cabeza.

— ¿Sabe V. quién los vende? — replica uno.

— ¿Quién?

— Váyase V. á la calle de la Pingarrona y pregunte por la señá Niceta.

— ¿Sabe V. el número?

— El número no lo sé, pero allí la conocen todos los vecinos. Es una señora ancha, con los ojos algo húmedos y que lleva en un pie una babucha y en otro un zapato. Con esas señas cualquiera le da á V. razón.

—¿Y dice V. que vende décimos?

— Sí, señor; todos los que V. quiera, á once duros uno con otro.

— ¡Caramba! ¡Qué caros!

— Pero son muy buenos.

— Pues me voy allá inmediatamente.

Y el jugador se traslada á la calle de la Pingarrona, donde pregunta por la señá Niceta, y allí le dicen que la busque en la Puerta del Sol, junto á la fuente, conforme se baja, á mano derecha.

—¿Es V. la señá Niceta?—pregunta el jugador á una matrona apaisada que está de pie al borde del pilón comiendo altramuces. 5

—Oiga V.—grita la interpelada.—Yo soy una señora que me he parado aquí por *causalidá* y no *conozgo* á la Niceta ni *m'hace falta.*

—V. dispense.

—¿Preguntaba V. por la señá Niceta?—dice un sujeto 10 mal encarado que interviene en la conversación.—*Pus* en la calle de Sevilla la tiene usted. ¿Sabe V. la Tabacalera? *Pus* allí se pone.

El jugador echa á andar hacia la calle de Sevilla y al fin da con la Niceta, á quien reconoce por la babucha. 15

—¿Qué quería V?

—Un décimo.

—Baje V. la voz... Le cuesta á usted doce duros.

—Me han dicho que once.

—Baje V. la voz... Lo menos once y medio. 20

—No doy más que once.

—Véngase V. detrás de mí con disimulo, y cuando vea V. un guardia hace V. como que no me conoce, y si le pregunta á V. algo le dice que soy su esposa.

—Bueno. 25

—Y si ve V. que me va á prender le sujeta V. la mano y dice V. que es primo del gobernador.

La señá Niceta se lanza resueltamente calle de Alcalá abajo, seguida por el jugador. Llega frente á la Iglesia de San José, y se pára; después echa á andar hacia la 30 calle del Turco. El jugador la sigue siempre, con la ansiedad pintada en el semblante.

— ¡ Hola, pillín ! — le dice un amigo deteniéndole.— ¿ Vas de conquista ?

— No me detengas, voy á otro asunto.

Al llegar á la plaza de Cervantes la señá Niceta hace
5 señas al jugador para que se la acerque.

— Le he traído á V. aquí, porque no hay guardias y podemos hablar.

— Bueno ; venga el billete.

— No lo traigo.

10 — ¿ Cómo ?

— Tiene V. que llegarse conmigo á la calle de la Paloma, que es donde los hay.

— ¿ Á qué hemos venido aquí entonces ?

— Á quedar en una cosa ó en otra. ¿ Cuánto da V.?

— ¿ Ahora salimos con ésas ? Once duros.

15 . . . .

El jugador llega á la calle de la Paloma, siguiendo siempre á la señá Niceta. Entra en un portal, sube muchas escaleras, se escurre dos ó tres veces, tropieza otras tantas y consigue verse, al fin, en una habitación donde
20 un hombre juega á la brisca con un ama de cría seca.

— Oye, Orosio ; sácale un décimo á este señor — dice la señá Niceta.

El hombre suspende la brisca y entrega al jugador el anhelado papelito. Págalo el segundo en buena moneda
25 y sale á la calle lleno de alegría.

. . . .

Y resulta que el décimo vendido pertenece á la lotería del 23 de diciembre de 1891.

XII

CALAMIDADES PÚBLICAS

No sé qué es peor, si caer enfermo ó tener que buscar en las farmacias la medicina recetada por el médico.

Hay farmacias de primer orden provistas de todo lo necesario para nuestro alivio; pero también las hay devastadoras, donde pide uno diez céntimos de magnesia granular efervescente y le dan, por equivocación, arsénico puro ó polvos de gas. El enfermo confía en la buena fe del boticario y se traga los polvos; pero á los pocos minutos tiene que llamar á una persona querida para decirle en secreto:

— Abur, Aniceta.

— ¿Te vas? — le pregunta la otra.

— Sí, me traslado al otro mundo. Desde que tomé el medicamento noto que la cama gira á mi alrededor y que se me concluye el aliento vital . . . Vaya, hasta otra vez.

Y el enfermo se muere sin más ceremonias.

Los médicos se quejan de la falta de escrupulosidad con que proceden algunos farmacéuticos, y no les falta razón. Ya se ha dado el caso de un médico que, después de reconocer al paciente, puso una receta complicada, y dijo:

— Toma usted una cucharadita á las siete y diez minutos; después se sienta usted en una silla baja para esperar los resultados de la medicina. Á las ocho menos cuarto sentirá usted escozor en las articulaciones, pero no haga usted caso; á las nueve tome usted la segunda cucharadita y se acuesta; á las diez vendré yo para ver los resultados del medicamento.

Efectivamente, á la hora prefijada llegaba el doctor y 5 sorprendía al enfermo dándose de calabazadas contra la pared y pidiendo á voces que le abrieran un balcón para tirarse por él de cabeza.

— ¡Ay, señor médico! ¡Qué desgracia! — decía la esposa del paciente. — Desde que tomó el medicamento no 10 hace más que cantar y querer ahogarse á sí propio. Está demente, y le ha faltado al respeto á mi mamá y tiene celos del aguador, porque se llama Arturo.

— ¡Qué cosa tan rara! ¿Dónde han ido ustedes por la medicina?

15 — Á la calle de Percebe, donde hay un mancebo que nos conoce desde niños.

— Veamos . . .

El médico examina la pócima menguada, y después de olerla y de probarla y de aplicarle un fósforo, descubre 20 que el mancebo se ha equivocado, y que en vez de un calmante dulce ha compuesto un reconstituyente terrible con cinco ó seis gramos de más y doce ó catorce gotas de un producto explosivo . . .

En Madrid hay boticas excelentes, donde puede com- 25 prar uno los medicamentos á ojos cerrados. Más de una vez hemos ido á preguntar:

— ¿Tiene usted confianza en el sulfato de quinina? — y nos contestó el farmacéutico:

— Hombre, no; se me ha desmejorado estos días y 30 no me atrevo á servirlo. Vaya usted á otra parte por él.

Pero hay otros farmacéuticos á quienes se les acaba el

bicarbonato y despachan piedra alumbre ó sal de higuera ó bromuro de potasio; cualquier polvillo, en fin, con tal de que tenga el mismo color.

Y excuso decir á ustedes á qué tristes consecuencias puede conducirnos la manga ancha de ciertos boticarios. 5

XIII

LA GENTE DE FUERA

Parece que no, pero ha venido gente forastera con ánimo de asistir á las fiestas municipales.

Todos los días hacen su entrada en Madrid unas cuantas docenas de personas sencillas que vienen á re-
5 crearse con los festejos para poder decir después en el seno del hogar:

—¡Oh qué *Madriz* aquél! Allí andan los duques y marqueses por las calles como si todos fuésemos unos. Á mí me enseñaron un brigadier que estaba tocando el
10 acordeón en una barbería sin darse ninguna importancia; y en la casa de huéspedes donde yo paré había un diputado á Cortes que jugaba todas las noches al tute con la patrona y un hijo suyo que es cornetín.

Buena diferencia de lo que pasa en los pueblos, donde
15 los diputados andan de sombrero de copa y no quieren beber vino públicamente.

Es lo bueno que tiene Madrid; aquí con poco trabajo pueden los forasteros conocer á todos los personajes y verles en traje de mañana, con lo cual se convencen de
20 que ningún hombre es grande con sombrero hongo.

Estos días han llegado una porción de matrimonios á quienes seduce la idea de presenciar los fuegos artificiales y las vistas panorámicas; otros vienen decididos á ver la cabalgata de la Florida, y otros á visitar el palacio
25 de Oriente, por la parte de adentro, porque les han dicho

pue las paredes son de concha, como las peinetas, y que hay veladores de caramelo.

Entre los recién llegados figura doña Isidora y su esposo don Fermín, que están parando en una fonda muy buena y no pueden reprimir los trasportes de júbilo cada vez que les ponen puré de guisantes ó solomillo con patatas rizadas.

— Isidora — dice D. Fermín por lo bajo. — ¿Has visto qué sopa tan rica? Sabe á aceite de Macasar.

— ¡Y qué sopera tan preciosa!

— ¿Cómo harán para rizar las patatas?

— Calla, Fermín — replica doña Isidora, — puede oírte el mozo y es una vergüenza.

Ayer vió D. Fermín que servían el lenguado frito en un lecho de hojas de lechuga y no pudo menos de exclamar en el colmo del entusiasmo:

— Mira, Isidora: parece una criatura acostada.

Este matrimonio no tiene momento de descanso. Ella se levanta de seis á siete y lo primero que hace es ponerse un vestido tornasolado y una manteleta de terciopelo verde limón; después se cubre la cabeza con una capota, que parece un barreño, y cogiendo del brazo á su esposo, que á su vez se ha vestido con lo mejor del baúl, salen juntos por ahí á recorrer las calles y ver la parada.

La otra tarde fueron á visitar el Museo de Pinturas y allí encontraron una familia de su mismo pueblo, compuesta de matrimonio y dos niños, ambos feos, que han venido tambien á las fiestas.

— ¡Qué sorpresa! ¿Pero cuándo han llegado ustedes? — dijo doña Isidora.

— Pues, el martes — contestó la otra.

— ¡ Cuánto me alegro!

— Yo no estaba decidida, pero éste se empeñó más que por nada, por ver el viaducto y consultarse.

— ¿ Está malo?

5 — Sí, señora. Todo lo que come se le vuelve arenilla en el estómago.

— Ya veo que ha traído V. los chiquitines. ¡ Qué monos son!

— Es favor que V. les dispensa. Hemos querido de-
10 járselos á mamá, pero ya sabe V. cómo está la pobre. Desde que pasó la tos ferina no tiene día bueno, y le da por destrozarlo todo. Ven acá, Miguelín, enséñale á esta señora el mordisco de la abuelita.

— ¡ Hijo de mi alma! ¡ Cómo tiene el bracito!

15 — Y ustedes, ¿ dónde paran?

— ¡ Ay, hija! Estamos muy contentos; nos han puesto en una alcoba que da á un pasillo muy hermoso, con vistas á un patio, donde hay un hojalatero que toca la guitarra divinamente. ¡ Y qué camas tan limpias!

20 — ¡ Buena suerte han tenido ustedes! Nosotros vivimos en casa de una señora que está todo el día en un ¡ ay! porque se le fija un dolor en un vacío y no puede guisar ni hacer las camas. De manera que ayer comimos lechuga y queso de Villalón, para que no se moles-
25 tara en encender la lumbre.

— En nuestra fonda se está muy bien; en cuanto acaba V. de comer una cosa, ya le están cambiando el tenedor, y á cada huésped le sirven un plato con palillos. Y qué sopa nos ponen!

30 — ¡ Riquísima! — añade D. Fermín.

— Le digo á V. — replica doña Isidora — que estamos contentísimos, y eso que nosotros somos muy delicados para la comida; en viendo un pelo ó una mosca ó cualquiera otra bagatela, ya no podemos comer.

— Lo mismo es éste — dice la mamá de los niños, aludiendo al esposo. — El otro día encontramos en la sopa un bucle postizo de la dueña de la casa y éste ya no 5 quiso probar bocado.

Doña Isidora y su esposo traen una vida imposible, porque no descansan ni se sientan en todo el día. De la fonda á los Museos, de los Museos al Prado, del Prado á la Plaza Mayor, de la Plaza Mayor al Bazar, y así su- 10 cesivamente.

La otra noche asistieron al teatro de la Zarzuela, después de haber recorrido la capital de España de norte á sur.

— ¡Ay, Fermín! — decía doña Isidora. — Yo ya no 15 puedo más. Tengo los pies como dos sobreasadas, y estoy deseando sentarme . . .

No hicieron más que dejarse caer en las butacas, rendidos de fatiga, y doña Isidora sintió que se le cerraban los ojos. 20

— Mujer — le decía su marido, — acuérdate de que estamos en el teatro, ¿Qué dirán estos señores de la derecha?

Pero la música comenzó á tocar una especie de tango soporífero, en que el violín lanza profundos lamentos y 25 los trombones se quejan también amargamente, y D. Fermín, arrullado por aquellos quejidos, cerró los párpados á pesar suyo.

Cuando el conserje del teatro practicaba la requisa de costumbre, después de terminada la función, no pudo 30 menos de lanzar un grito de sorpresa.

En la última fila de butacas roncaban á dúo D. Fermín y su esposa.

XIV

LOS ATRACOS

Han vuelto á ponerse de moda.

Á un honrado industrial que se retiraba á dormir noches pasadas le sorprendieron los atracadores en la calle de Jesús y María despojándole de la capa, el reloj 5 y dos duros que llevaba en el bolsillo.

Ni un solo agente de la autoridad acudió al sitio del suceso: se conoce que todos estaban ocupados en comentar las consecuencias de las últimas elecciones.

Es lo malo que tienen los atracadores; en vez de pasar 10 aviso con veinticuatro horas de anticipación, se presentan de pronto ante el transeunte y lo dejan en cueros sin saludarle siquiera.

El caso es que ya habíamos perdido la costumbre de estos ataques nocturnos. Hubo un tiempo en que casi 15 todas las noches nos atracaban en la calle, y ya lo considerábamos como la cosa más natural y sencilla.

Más de una vez habíamos oído decir en los pasillos del teatro:

—Adiós, D. Antonio.

20 —Hola, D. Aquilino. ¿Qué cuenta usted?

—Pues nada de particular, que anoche me atracaron.

—¿Y qué tal?

—Bien. He tenido la suerte de caer en manos de dos chicos muy atentos. Al principio me pegaron dos 25 bofetadas, pero después estuvieron muy amables conmigo.

— Yo llevo seis días libres de atracos. La última vez me cogieron en la calle de la Bola. Por cierto que lo sentí mucho, porque llevaba encima un retrato que acababa de dedicarme D. Alberto Aguilera en prueba de cariño, y me lo llevaron.

— Hay que tener paciencia.

— Naturalmente. ¿ Cómo vamos á oponernos á una costumbre nacional ?

De tal suerte nos habíamos acostumbrado á estos ataques, que ya no oponíamos resistencia y decíamos á los atracadores con toda finura:

— Buenas noches. ¿ Cómo siguen ustedes ? ¿ Y en casa ?

— No hay novedad — decían ellos. — Á V. le encontramos algo paliducho . . . No se impresione V., que esto no es nada . . . Venga el gabán y el reloj.

— No se molesten ustedes, yo me lo quitaré.

— No es molestia.

— Gracias.

— Abur — decían ellos por último. — Dé V. recuerdos en casa.

— De parte de ustedes.

Algunas veces los atracadores se permitían darle á uno un par de trompadas; pero esto era sólo cuando no tenían confianza con el atracado. Siendo éste persona conocida, se limitaban á robarle con cierta delicadeza. Más de una vez ocurrió el caso de ver los atracadores á un caballero con la cara hinchada y decirle cariñosamente al tiempo de robarle:

— Hombre, cuide V. ese flemón. ¿ Por qué no se pone V. una cataplasma de miga de pan y leche ?

Ni aun las señoras se salvaban de los ataques nocturnos, y una noche viéronse atracadas en la calle de la

Comadre doña Melchora y su hija Purita, que es un ser ideal, aunque picada de viruelas.

—¡Alto!—las dijeron.—Venga todo lo que lleven Vds. encima.

5 —Esto es un abuso—gritó doña Melchora.

—¡Silencio! ¿Qué lleva V. en ese papel?

—Media libra de garbanzos y una morcilla.

—Vengan .... Y ahora suelte V. el mantón y la toquilla y esa falda ....

10 —¡Jesús! ¡Qué vergüenza!

Purita, entre tanto, era presa de un ataque nervioso, y uno de los atracadores le registraba el bolsillo.

—¡Por piedad!—exclamaba ella.—Devuélvame V. ese paquete de cartas. Son de Arturo, el elegido de mi 15 corazón.

—No puede ser.

—Déjeme V. cuando menos ese mechón de pelo atado con una cinta, que es de mi Arturo.

Los atracadores le entregaron el pelo, que ella besó 20 con delicia.

Por si vuelve á introducirse aquí la costumbre de los atracos, bueno será que estemos prevenidos ó que adoptemos el sistema de D. Judas, acreditado prestamista de esta localidad. Siempre que sale á la calle por la noche 25 lleva una capa que parece un estropajo y no hay atracador que se la robe.

Sólo una vez le detuvieron para quitársela, y el prestamista se la dejó llevar sin oponer resistencia; pero al poco rato oyó que le llamaban los ladrones diciéndole:

30 —¡Venga V. acá y guárdese ese pingajo .... ¡so indecente!

XV

LOS PIANÓFEROS

En Francia se va á establecer una contribución sobre los pianos, y aquí desgraciadamente, continuarán gozando de franquicia los infinitos *percebes* filarmónicos que nos destrozan los oídos mañana y noche.

Yo no sé lo que pasará en San Feliú de Guixols, pero en Madrid vivimos siendo víctimas de los amantes del piano. Tengo yo en mi vecindad una joven sonora que no me deja escribir ni descansar, ni dedicarme á las expansiones domésticas. En mi casa hablamos á gritos, porque el piano de la vecina apaga nuestra voz, y así y todo lo único que oímos es el tecleo constante de aquella pícara.

. . . . ¡Señoritoooo! ¡La sopaaaa!—entra gritando mi criada.

—¿Qué diceeees?—la pregunto, colocando ambas manos junto á las orejas, á guisa de tornavoz.

—¡Que está la sopa en la mesaaa!

Y nos ponemos á comer, arrullados por los acordes de la vecina, que se pasa la existencia sentada ante el piano, sin respetar los oídos ajenos.

Días pasados subió á decirle la portera:

—Señorita; hay un vecino en el segundo que está dando las boqueadas. ¿No podría usted tocar hacia adentro?

—Dígale usted al vecino—gritó la mamá de la pianista—que mi niña tiene que estudiar y que no vamos á privarnos del estudio por él ni por nadie. Anda, Consuelito, toca, y no hagas caso de lo que digan.

Y el vecino se murió con la cabeza debajo de las sá-
5 banas, por no oír en sus últimos momentos á la infame pianista.

Como ésta hay muchas, que ponen en dispersión á los honrados vecinos; turban la paz de las familias y nos hacen aborrecer el arte de Liszt. Hoy todo padre que
10 estima su buen nombre, quiere iniciar á sus hijos en la música y lo primero que hace es comprar un piano para martirio de los que viven en la misma casa. ¿Qué menos podrá hacer el Gobierno que cobrar una crecida contribución?

15 Se conoce que en Francia sucede algo parecido á lo de ahí y el gobierno de la República obra cuerdamente al imponer una contribución de diez pesetas por cada piano sonoro.

Sólo Dios sabe lo que tenemos que sufrir cada vez que
20 vamos de visita á casa de don Mauro. En cuanto pisamos aquella casa, ya está la esposa de don Mauro diciendo á su niña:

—Filo; toca cualquier cosilla para que te oiga este caballero.

25 Y la niña, que no se hace rogar, arremete contra las tecias y nos pone la cabeza como una olla de grillos.

—¿Qué tal?—nos pregunta el papá limpiándose la baba.

—¡Admirablemente!—contestamos nosotros por decir
30 algo.

La niña se envalentona y ejecuta piezas y más piezas, sin proporcionarnos la ocasión de apelar á la fuga, porque no es cosa de levantarse cuando ella está derramando armonías á manos llenas.

Mientras la niña toca la mamá nos dice á media voz:

—No es porque sea mi hija, pero tiene unas manos de oro. Lo que nosotros queremos es que la oiga la infanta, pero hasta ahora no hemos podido lograrlo. La han oído muchas personas inteligentes: Eguilior, Carulla, un sobrino de Silvela y otros; y todos dicen que si esta chica fuese á Milán, llamaría la atención. Lo peor es que mi esposo no tiene carácter para pedir ni sirve para nada absolutamente; si él fuera otro, á estas fechas la niña estaría colocada en palacio, de profesora de Cámara, ó la hubiera pensionado el gobierno; pero mi marido es un bruto; se lo digo á usted en confianza.

—Señora, no le tengo por tal.

—Sí, señor; no le quepa á usted duda. Mire usted: yo tenía empeño en que mi Filo fuese á tocar á casa de Sagasta y, en efecto, una noche la llevó allí su padre, pero en vez de alentarla, la dejó sola delante del instrumento y la pobrecilla, llena de temor, no pudo salir del paso; de modo que se quedaron dormidos todos, y á ella le dió tanta rabia que se puso á la muerte y la tuvimos en la cama ocho días.

La niña de D. Mauro no puede ir á ninguna parte, sin que como primera providencia abra el piano y nos levante dolor de cabeza. No hace aún ocho días que fuimos á dar un pésame á casa de doña Etelvina, que se quedó viuda de la noche á la mañana. Allí estaba Filo, la hija de D. Mauro, y mientras nosotros tributábamos á la viuda los consuelos de rigor, ella levantó la tapa del instrumento y se puso á tocar *La Oración de un guardia civil*, famosa pieza, debida á la inspiración del médico-director de baños.

La viuda, al oír la melodía cayó sin conocimiento sobre un cuñado suyo y nosotros tuvimos que coger á la 5 hija de D. Mauro, por las enaguas y ponerla de patitas en el comedor.

—¿Qué es eso?—gritaba el padre.—¿Así aprecian ustedes el mérito de mi niña? La culpa la tiene ella, por ser demasiado condescendiente.

10 Todos estos aficionados á la música llegan á ser una calamidad; sobre todo los aficionados á *pianoforte*, y el gobierno podría prestarnos un gran servicio imponiéndoles una contribución más *forte* aún.

Con lo cual evitaríamos muchas jaquecas y no llegaría 15 á sernos odioso el arte divino.

XVI

LOS DESESPERADOS

Á pesar del tiempo transcurrido, los periódicos franceses continúan publicando detalles y comentarios referentes al suicidio de Boulanger.

Y esta prolijidad de noticias influye poderosamente en el ánimo de las personas románticas hasta un punto alarmante. 5

El mal ejemplo cunde y se propaga, y muchos que no habían pensado en suicidarse nunca, andan diciendo ahora confidencialmente á sus amigos:

— El mejor día. . . ¡ zas! me mato. 10

— ¿ Piensa usted hacer algún viaje en ferrocarril?

— No, señor; pienso quitarme la vida á mí mismo, sin que nadie lo note.

Hay personas que en cuanto experimentan la contrariedad más insignificante, ya están echando mano á la caja de fósforos y pidiendo un vaso limpio para disolverlos. Después escriben una carta al juez del distrito, diciéndole «que no se culpe á nadie, etcétera», y después cogen la pócima menguada . . . y la tiran. 15

Conozco una señorita que ha estado para matarse en cuatro ó cinco ocasiones; una vez echó láudano en las sopas de ajo para acabar con la existencia, porque estaba en relaciones con un joven, al parecer libre y solo, y luego resultó casado en segundas nupcias con una lavandera; otra vez quiso abrirse una vena con el cuchillo 20 25 de la cocina, por no sé qué nuevo desengaño amoroso, y otra vez se arrojó á la calle desde un entresuelo y fué á caer sobre un puesto de á real y medio la pieza.

La mamá de esta joven vive en constante zozobra, 5 porque cree que el mejor día va á haber una desgracia en aquel domicilio, y en cuanto ve que la chica coge la badila y se encierra en su alcoba, ya le está diciendo por el ojo de la llave:

—¡Por Dios, Emerenciana! no hagas ninguna locura. 10 ¿Por qué sufres? ¿No te ha gustado el almuerzo? Yo creí que te eran simpáticas las patatas fritas. Ten compasión con tu madre, y no le cierres el pecho.

Esta chica va á concluir de mala manera, porque es de las que ocultan sus impresiones; y en vez de decla- 15 rarse públicamente enemiga de las lentejas, ó del hígado guisado, almuerza en silencio y después concibe el propósito de suicidarse.

Las personas francas están libres de estos malos pensamientos, porque cuando sufren alguna contrariedad 20 se desahogan chillando ó bien lloran, apoyadas en el hombro de algún pariente; mientras que los caracteres reconcentrados sufren á solas y después se matan detrás de una puerta, sin decírselo á nadie.

Todos los días ocurren casos de éstos, y convendría 25 que la prensa no fomentase las aficiones fúnebres de algunas personas con el relato de los suicidios, sobre todo, cuando son extranjeros, porque el afán de traducir del francés puede conducirnos á las mayores desventuras.

30 Por ahí anda un sujeto que se suicida todos los años por noviembre, so color de que no tiene ropa de abrigo. Entra en un café, pide de cenar, discute con el mozo

sobre si la chuleta es de cerdo ó de caballería menor, y después se dispara un tiro de revólver en el ala del sombrero. De allí le llevan á la Casa de Socorro envuelto en un mantel, y los médicos, al verle, exclaman con la mayor naturalidad del mundo: 5

—¡Calle! El suicida de todos los inviernos. No pasa día por él.

Hay suicidas caseros, hijos de familia mimados, que piden tres duros á su mamá para comprarse un hongo de moda, en forma de quesera, y no se los dan. Entonces 10 ellos se mesan los pelos con desesperación, y dicen que se van á matar de un momento á otro.

—¡Abur!—exclaman trágicamente.

—¿Á dónde vas?—pregunta la madre.

—No lo sé. Yo no puedo vivir con este sombrero. 15 ¿Qué dirán mis amigos cuando me vean estas alas?

—Pero . . .

—¡Y pensar que por tres duros miserables voy á quitarme la vida!

La mamá se arroja en brazos del hijo de su corazón y 20 le besa en ambas mejillas; después le da los tres duros y dos reales en cuartos para que refresque, con lo cual evita una desgracia irreparable.

Muchos dicen que se van á matar por la cosa más insignificante: porque han perdido la petaca, porque 25 han regañado con el mozo de billar sobre la limpieza de una carambola, porque se les ennegrece la dentadura, porque tienen flato, etc., etc.

No hace muchos días que don Bonifacio tuvo un disgusto con su esposa. Él decía que Cáceres era puerto 30 de mar, y ella que no, hasta que vino el carbonero y le quitó la razón á don Bonifacio. Éste, al sentirse humillado, bajó las escaleras de dos en dos, no sin decir antes á su esposa:

— Pues bien, ya que se desconoce mi autoridad, ya que tienes de tu parte al carbonero, no volverás á saber 5 de mí.

—¿Á dónde vas?

—Á despedirme de mi cuñada, y después á matarme allí mismo. Quiero morir en el seno de la familia.

Don Bonifacio salió como alma que lleva el diablo. 10 Su esposa recapacitó durante algunos minutos; las últimas palabras de su cónyuge la habían dejado perpleja.

—¡Dios mío!—gritó por fin envolviéndose en un mantón.—Será capaz de matarse. ¡Corramos en su auxilio!

15 Y voló á casa de la cuñada.

Allí estaba don Bonifacio, sentado á la mesa del comedor, haciendo pitillos...

¡Buena gana tenía él de morirse!

XVII

EL NIÑO

—¿Está D. Casimiro?

—Sí, señor: pase usted.

—¡Hombre! ¿Usted por aquí?

—Vengo á que hablemos del asunto aquél.....

—¡Ah, sí! ¿De las acciones de la Tabacalera? 5

—Eso es.

—Pues siéntese usted.....¡Vaya, vaya!.....Dispense usted un momento.....¡Pepa! ¡Pepa!..... ¿Dónde está el niño?

Pepa (desde el comedor).—Está aquí. 10

—¿Qué hace?

Pepa—Está rompiendo el retrato de la señorita.

—Perfectamente..... Pues sí, amigo mío; deseaba que habláramos de las acciones, porque, la verdad, yo creo que.....¡Pepa! ¡Pepa! Lo mejor será que trai- 15 gas al niño aquí, porque el pobre se va á cansar de no verme.....¿Tiene usted hijos?

—Sí, señor.

—Ah, pues entonces ya sabe usted lo que son estas cosas! Yo tengo uno que ahora verá usted; es pre- 20 cioso, y está algo consentido porque le damos todos los gustos. ¡Como no tenemos otro!.....Ven acá tú, ángel de la casa. Dale un besito á este señor.

El niño.—No *tero.*

El papá.—Vamos; sé amable, Casimirín. 25

El niño se me acerca, y lo primero que hace es morderme una mano. El papá se ríe; yo también me río, como los conejos desgraciados; pero hay que disimular.

El papá. — Las acciones están en alza, según noticias.

5 *Yo.* — Efectivamente.

El papá. — Anda, Casimirín, dile á este señor cómo hace la abuelita cuando la pegas en la cabeza con la palmatoria. . . . . Anda, cielín. . . . . Es una monada este chico, sólo que ahora no quiere hacer cosa alguna, 10 porque le da vergüenza. . . . . ¿Qué quieres, hijo mío? ¿Subirte encima de la mesa? Pues súbete. ¿Quieres jugar con el tinterito? Pues te lo voy á dar. . . . . ¡Ay, amigo mío! Estos muchachos hacen de uno lo que quieren . . . . . Por supuesto, las acciones tendrán doble 15 valor cuando pasen unos días.

El niño (metiéndole á su papá una pluma por un ojo). — Estáte *queto.*

El papá. — ¡Por Dios, Casimirín; me vas á hacer pupa!

El niño. — Pues *tero.*

20 *El papá.* — ¡Hijo de mi alma! ¡Qué mono es! ¡Y qué listo! Fíjese usted: el pobrecito quiere saltarme un ojo y no puede.

Yo. — Es una monería.

El papá. — ¡Y si viera usted cómo nos pega á todos! 25 Mi suegra tiene el cuerpo lleno de cardenales, porque todo el gusto de este chico es coger un bastón y darnos con él en cualquier sitio. El otro día por poco mata á la criada. ¡Inocente criatura! Figúrese usted que ella salía á la compra, y el chico, desde el balcón, la tiró un 30 tiesto.

Yo. — ¡Qué inocente!

El papá. — Después, cuando vió que no había

realizado su capricho, se tiró en el suelo, y allí se estuvo más de una hora llorando.

El papá. — Vamos, Casimirín, no llores, hijo de mi alma, que te vas á sofocar.

El niño. — *Tero* melón. Ji . . . . . ji . . . . . ji 5

En aquel momento aparece en la puerta del despacho la madre de la criatura, y sin saludarme ni nada, se dirige á su esposo, diciéndole:

— ¿ Qué le haces al niño? ¡ Hijo mío de mis entrañas ! 10

El papa. — Quiere melón.

El niño. — *Tero* melón.

El papá. — ¿ Estás loco, Casimirín ? ¿ Melón en febrero ?

El niño. — *Tero* melón. 15

Y Casimirín comienza á gritar y á sacudir patadas á los papeles que hay sobre la mesa. No contento con aquel destrozo, coge el tubo del quinqué, y le tira, haciéndole mil pedazos; después se agarra á los bigotes del papá, lanzando gritos. 20

La mamá. — Ya decía yo que algo se le había antojado al pobrecito; pero tú no haces más que contrariarle . . . . . Ven, Casimirín, que yo te daré lo que quieras . . . . . ¡ Pepa, Pepa !

Pepa (entrando). — ¿ Qué manda usted ? 25

La mamá. — Vete corriendo á una frutería y que te den un melón. Di que le escojan bueno, que es para un niño muy delicado y muy mono.

Casimirín, al ver satisfecho su capricho, deja de llorar en el acto; pero vuelve á decir que le suban á la mesa y 30 le den unas tijeras para cortar papelitos.

Los papás se apresuran á complacerle, y yo aprovecho

la tranquilidad del chico, para reemprender mi conversación sobre las acciones.

Yo. — Conque, D. Casimiro, usted dirá.

— ¿ Qué?

— Si vende usted esas acciones.

— ¡ Ah, sí ! Puede usted contar con . . . . . ¡ Cuidado, Casimirín, que te vas á meter las tijeras por un ojo ! (Á su esposa :) ¿ No ha vuelto Pepa con el melón ?

La esposa. — No.

El niño, que se ha cansado de recortar papeles, quiere bajarse de la mesa á toda prisa, pero se le tuerce un pie y cae de cabeza contra un mueble.

Los papás (acudiendo en su socorro). — ¡ Hijo de mi corazón!

Llora el niño como si le estuvieran arrancando el pellejo á tiras. La mamá lanza gritos de angustia ; el papá se lleva las manos á la cabeza con frenesí, y á todo esto la criada aparece con el melón. El niño le ve, y quiere hincarle el diente ; la mamá se apresura á buscar el cuchillo, el papá sale de la habitación en busca de un plato, y la criada menea la cabeza con aire burlón y me dice confidencialmente :

— Caballero, no venga usted jamás á esta casa á hablar de negocios, porque será inútil. Aquí nadie piensa más que en el niño.

Yo cogí el sombrero y salí á la calle murmurando :

— ¡ Ay, qué niño !

XVIII

¡CARLITOS!

Lo primero que hizo Carlitos aquel día fué ponerse á limpiar las botas de charol con aceite frito.

—¡Ay, qué demonio de muchacho!—le dijo su madre.—Vas á estropear esas botinas.

—¿Soy yo tonto?—replicó él.—No hay cosa que las conserve mejor ni las dé más brillo. 5

Después entró en la cocina á ver si la muchacha había puesto las planchas para la camisola, y estuvo regañando con motivo, porque ella le había dado una mala contestación. 10

—Fuera de mamá, yo soy aquí el amo. ¿Lo oye usted, desvergonzada?—decía Carlitos, echando fuego por los ojos.

—Ya lo sé—contestaba ella;—pero tengo la hornilla ocupada, y me parece á mí que hasta las doce de la noche que empieza el baile, hay tiempo de sobra. 15

—Eso no es cuenta de usted. Aquí se hace lo que yo mando. ¡Pues, hombre!

La muchacha se puso á machacar perejil, dejando á Carlitos con la palabra en la boca, y éste entró en el gabinete hecho una furia. 20

—Pero, ven acá, chispillas—le dijo su madre.—¿Cuándo vas á dominar ese genio?

—No me hable usted. Parece que todo el mundo se ha propuesto llevarme la contraria. 25

Y para borrar el mal efecto de las contrariedades sufridas, Carlitos cogió el pantalón negro y comenzó á quitarle las manchas con espíritu de vino; en seguida sacó el sombrero de copa y se puso á limpiarlo con una 5 toalla.

De cuando en cuando decía para sí:

—¡Ahora, con que me esté ancho el frac de don Emeterio! . . . .

Antes de las diez de la mañana estaba ya en la calle, 10 sin haber querido aceptar las patatas fritas que había puesto la muchacha sobre la mesa.

Al pasar por la calle del Gato, Carlitos tropezó con un compañero de Universidad.

—¿Á dónde vas con esa cara de pocos amigos?—le 15 preguntó.

—No me hables, chico, no me hables.

—¿Has regañado con tu novia?

—Al revés. Esta noche pienso verla en el baile. Va con su tía.

20 —Pues entonces . . . .

—¿Quieres creer que son cerca de las once y no me han planchado todavía la camisa? Por supuesto, cuando menos lo esperes vas á saber que he matado á mi criada. Como tengo estos prontos, el día menos pensado me 25 ciego y la dejo en el sitio.

Y Carlitos se despidió de su compañero y entró en casa de D. Pantaleón, distinguido literato, aunque inédito.

—¡Hombre, Carlitos! ¿Usted por aquí? ¿Cómo 30 sigue mamá?—le dijo D. Pantaleón.

—Está buena, gracias . . . . Pues venía á ver si tiene usted un billete para el baile de esta noche.

Don Pantaleón no tenía billetes, pero le dió una carta de recomendación para un amigo; el cual tampoco los tenía, y mandó á Carlitos que fuese á ver á otro; el otro dijo que lo sentía tanto, pero que ya no le quedaba ningún billete, y Carlitos, que había invertido cerca de cuatro horas en viajes infructuosos, entró en su casa ¡con un humor!....

Su mamá trataba de tranquilizarlo, diciéndole:

—Vamos, hombre, no te exaltes, que todo se arreglará. Anda, ven á comer, aunque no sea más que un poquito de sopa.

Carlitos se encerró en su cuarto sin contestar, y allí estuvo cerca de media hora dándose golpes en la cabeza con un pisapapeles para desahogar la ira.

—Señorito—fué á decirle la muchacha.—Aquí está el frac de D. Emeterio. Dice que procure usted que no coja vicios.

—¿Quién?—preguntó Carlitos en tono áspero.

—El frac. Dice D. Emeterio que no levante usted mucho los brazos, porque se puede resentir la tela.

Carlitos se arrojó sobre el frac como si fuera á comérsele. Después se presentó en el gabinete y preguntó á su madre:

—¿Qué tal me sienta?

—Me parece que está un poquito bajo de talle.

—No me diga usted eso, porque soy capaz de tirarme por el balcón.

—¡Jesús!

—¡Ya no puedo sufrir más!

Y fué á sentarse en el sofá, diciendo para sí:

—¿De manera que soy una víctima del destino? ¿De manera que la única noche en que podía hablar á

solas con Gertrudis surgen obstáculos insuperables? ¿De manera que tengo que desistir de mi propósito? Pues no, señor, no desisto. Es muy posible que mi rival, ese bruto de Teniente coronel, aproveche mi ausencia
5 para robarme el cariño de Gertrudis. . . . ¡Dios mío! ¡Qué desgraciado soy! ¿Me amará Gertrudis? ¿Me estará efectivamente bajo de talle el frac de D. Emeterio?

Un campanillazo se dejó oír en la escalera, y Carlitos irguió la abatida frente.

10 —Para usted—dijo la doméstica, presentándole una carta.

Era de D. Pantaleón, y decía así:

«Querido Carlitos: Al fin he podido obtener un billete para el baile, y se lo remito á usted gustoso.

15 «Déle usted muchas expresiones á su mamá.»

El joven respiró, como si le hubieran quitado de encima al Marqués de Campo-Sagrado.

*
* *

Cuando Carlitos llegó á las puertas del teatro en que
20 el baile se celebraba, llovía copiosamente.

—Bueno me he puesto—decía sacudiéndose la capa, y limpiándose las botas con el pañuelo.

—¿El billete?—le dijeron los de la puerta.

—¡Ah, sí!—contestó él, presentándoles el documento.

25 —Este billete es de señora—dijo uno de los porteros.

—¡De . . . . se . . . . ño . . . . ra!—murmuró Carlitos, sintiendo que las piernas le flaqueaban.

En aquel momento una mano áspera se posaba sobre el hombro del joven, y oyó que le decían con acento
30 brusco:

—¡Deje usted libre el paso!

Era el Teniente coronel, que entraba en el baile.

XIX

FUGAS

Casi todos los días hay fugas de presos.

Se conoce que los pobrecitos se cansan de comer siempre la misma menestra, y resuelven marcharse; lo cual, si bien se mira, no tiene nada de extraño, porque á nadie le gusta que le pongan judías para almorzar y judías para comer. Además, el que está preso no puede frecuentar el trato de sus amigos, y es natural que quiera ir de visita de cuando en cuando.

Porque es lo que dice alguno:

— De buena gana me iría á pasar un ratito á una casa cualquiera. Esto de estar aquí encerrado día y noche no me hace gracia maldita.

Nuestro sistema penitenciario pone al alcance de cualquier penado, por torpe que sea, el medio de evadirse con toda comodidad, y los que no apelan á la fuga, es porque no quieren molestarse ni dar disgustos al jefe del establecimiento.

— ¿Lleva usted mucho tiempo aquí? — preguntamos en cierta ocasión á un presidiario.

— Mes y medio.

— ¿Y no se ha evadido usted aún?

— No, señor; no soy aficionado á salir á la calle. Además, aquí se pasa muy bien: jugamos un ratito; corremos nuestras *juerguecitas* correspondientes, y alguna vez que otra nos damos de puñaladas.

—En ese caso....

Yo no sé de qué materia estarán construidas las paredes de nuestras prisiones; pero el caso es que los presos abren boquetes como si, en vez de ladrillo, encontrasen queso de Gruyère.

Á lo mejor está el Alcaide descifrando una charada, ó rizándose el pelo, y entra un vigilante diciendo:

—Señor, ya se han ido tres.

—¡Hombre!—contesta el jefe.—Ya me extrañaba á mí que no hubiese alguna evasión en esta semana.

Y va corriendo á extender el parte; el Gobernador lo recibe, y exclama:

—Vamos, sí; la evasión semanal. ¡Qué le hemos de hacer!

Circulan las órdenes, muévense los guardias civiles, enfurécense los Inspectores de seguridad, y á la semana siguiente caen en poder de las autoridades los fugados, ó no caen; pero de todas suertes la policía ha practicado mil gestiones, entrando en las casas, revolviendo los trastos, metiendo la cabeza debajo de las camas y haciendo remover el cisco de la carbonera, por si se ocultasen allí los delincuentes.

—¡Á ver!—grita un Inspector dirigiéndose á la dueña del domicilio.—Descosa usted esa almohada inmediatamente.

—¿Por qué?

—Porque me inspira sospechas.

Y el Inspector permanece allí hasta asegurarse de que el fugado no está oculto dentro de la almohada.

Hace mucho tiempo que se viene hablando de reformar nuestras cárceles y presidios; pero el caso es que los gobernantes no tienen tiempo para dedicarse al asunto, y entretanto los presos se van, sin que consigan evitarlo ni el celo de los vigilantes, ni el honrado propósito de los directores.

—Hola, señora Sebastiana. Hace mucho tiempo que no veo á su esposo. ¿Está enfermo? 5

—¿No sabe usted lo que hay?

—No, señora.

—Pues le han echado á *presillo*. Al *probe* le salieron doce años; y todo por haberle dado un golpe á su compadre, que era un sinvergüenza. Verá usted cómo fué: 10 mi hombre estaba pegándole puñetazos á la comadre encima de la nuca, porque es muy divertido, y suele tener esas bromas; entonces entró el compadre y le llamó bruto, y mi hombre fué, y con una badila, que estaba allí por *causalidad*, le dió un golpe en la cabeza, 15 y el compadre, como era tan poca cosa, fué y se murió al día siguiente con el susto. Pero ya vendrá pronto mi hombre.

—¿Le van á indultar?

—Quiá, no señor; lo que va á hacer es escaparse, 20 porque le da rabia estar allí y no ver los toros, ni ir á las Ventas; *lo cual* que entre él y unos amigos van á abrir un agujero, y si no lo han abierto ya, es porque mi hombre no tiene ropa decente con que presentarse en la calle, y está esperando que yo se la compre para 25 salir.

La última evasión ha dado lugar á que el Ministro del ramo mandase formar un expediente para depurar los hechos, y saber de un modo indubitable cómo y por dónde se han fugado los reclusos; pero lo mejor sería 30 reformar nuestros presidios, para no poner á los Directores en el caso de tener que decir á los presidiarios:

—Caballeros, hagan ustedes el favor de no fugarse hasta la semana que viene, porque no está bien que en mes y medio haya habido trece evasiones y dos conatos. Eviten ustedes ese disgusto al Ministro de Gracia y 5 Justicia.

XX

ECONOMÍA PRÁCTICA

No es cara la vida en Madrid, no, señor.

Al que se sabe arreglar, la vida le sale por una friolera; pero cuando el hombre no reflexiona y se lanza á comprar sin saber dónde, y no regatea poco ni mucho, entonces no hay dinero que baste. 5

Yo conozco quien se ha traído de su pueblo veinticinco duros para emplearlos en ropa fina. Y ¿qué le pasó? Que entre comprarse un gabán, un chaleco y una gorrilla para andar por casa, se le fueron los veinticinco duros, y el hombre decía muy apenado: 10

—¡Qué barbaridad! En este Madrid se va el dinero como agua.

En cambio hay quien tiene que comprarse un gabán, y recorre todas las casas de préstamos conocidas hasta dar con una que le facilite lo que desea por cuarenta y 15 cinco ó cincuenta reales.

No hace muchos días que un amigo mío adquirió por tres duros y medio las siguientes prendas:

Un pantalón color de repollo cocido.

Dos corbatas de lazo hecho. 20

Unas zapatillas casi nuevas.

Y un cornetín de pistón algo usado.

Todo adquirido en una casa de préstamos que se va á deshacer.

Hay personas que cifran todo su orgullo en comprar 25

barato, como le sucede á un tío mío, hombre muy nervioso y algo irascible, que se va á un establecimiento de paños y empieza por pedir una silla y sentarse cómodamente.

5 — Sáqueme usted tela para un gabán — dice con aire de hombre superior.—Quiero que sea buena, ¿sabe usted?

El dependiente coloca sobre el mostrador seis ó siete piezas de paño. Mi tío desde su asiento examina el género, lo frota, lo mira al trasluz, lo estira, lo encoge, 10 lo acerca á la nariz, se lo pasa por los párpados para ver si es suave, y, por último, pregunta:

—¿Á cómo?

—Á tres duros.

Mi tío se levanta, hace un gesto de desdén y se finge 15 que va á tomar la puerta, no sin decir antes:

— Vaya, vaya; veo que no quiere usted vender.

— Pero venga usted acá y nos arreglaremos.

— Me ha pedido usted una exorbitancia. Abur.

—¡Hombre, que no es puñalada de pícaro!

20 Mi tío se acerca al mostrador, coge al dependiente por la muñeca, aproxímale los labios al oído y le dice á media voz:

—¿Quiere usted treinta reales? Y no hablemos más .... Á mí no me gusta molestar á nadie.

25 —¿Está usted loco? ¡Treinta reales por un género como éste!

—Sé yo más de géneros que usted. Esto es Tarrasa.

Enójase el dependiente; mi tío le contesta una barbaridad; chillan ambos, interviene el dueño de la tienda, 30 y mi tío dice por último, con voz alterada:

—¿Quiere usted treinta y cinco reales? No doy un céntimo más.

El caso es que mi tío sale de allí con la tela, después de conseguir que le rebajen un duro en cada vara; y cuando está hecho el gabán, pregunta á los amigos:

—Vamos, échese usted á pensar. ¿Cuánto cree usted que me ha costado esta prenda? 5

—Veinte duros—dice uno.

—Usted, que es un *panoli*, los hubiera pagado seguramente, ¡pero yo! .... Límpiese usted los ojos para ver este gabán, y ahora sepan ustedes que con tela, forros, botones y hechura me ha costado .... ciento once 10 reales con quince céntimos.

¿Puede dudarse de que mi tío compra barato en Madrid? Pues ¿y D. Sinforoso, mi compañero de oficina? Ése es atroz.

Hace pocos días tuvo que comprar una jaula para un 15 jilguero que le enviaron de Cuzcurrita, su tierra natal, y se fué á la plaza de Santa Ana.

—¿Á cómo son estas jaulitas?

—Á cuatro pesetas.

—¡Hombre, por Dios! No diga usted disparates. 20 ¿Quiere usted dos pesetas?

—No, señor; es precio fijo.

—Pero ¡avéngase usted á razones! ....

El pajarero volvió las espaldas; se puso á dar de comer á un loro que está delicado y no come con su 25 propio pico.

—Oiga usted—gritó D. Sinforoso desde la puerta.—¿No quiere usted vender?

—Sí, señor; pero no puedo perder el tiempo.

—Vamos, póngase usted en razón. ¿Quiere usted 30 las dos pesetas?

—He dicho que no.

—¿ Dos pesetas y diez céntimos ?

Nueva retirada del pajarero.

—Venga usted acá, hombre, que no ha de tener usted palabra de rey.

5 Y viendo D. Sinforoso que el de los pájaros se sentaba en una silla para alimentar al loro con más comodidad, él se sentó también á la entrada de la tienda, y allí se estuvo cerca de una hora, diciendo de vez en cuando :

10 — Conque ya lo sabe usted : dos pesetas y un perro grande.

El pajarero comenzó á perder la paciencia, y acabó por vender la jaula en los ocho reales ofrecidos, dando un empujón á D. Sinforoso y poniéndole de patitas en 15 la calle.

Después decía D. Sinforoso en la oficina :

— Hay que saber comprar y tener constancia. Si no hubiera yo tenido este carácter, cualquier día saco la jaula en las dos pesetas.

XXI

EXÁMENES

—¡Uf, qué días éstos más antipáticos!

—¿Alude usted á la huelga de los telegrafistas?

—No, señor; aludo á los exámenes de fin de curso. Mañana tengo que probar mi suficiencia ante el tribunal.

—¿Y qué? ¿Está usted tranquilo? 5

—Naturalmente. ¿No sabe usted que mi tío el Senador es persona de muchísimas relaciones? Lo primero que hizo fué ir á ver á los catedráticos y decirles claramente lo que me pasa.

—¿Y qué le pasa á usted? 10

—¡Cómo! ¿No se ha enterado usted de que me dedico á la esgrima? Sí, hombre, sí; me paso el día entero tirando.

—¿De qué?

—Tirando al sable. Es para lo que tengo más dispo- 15 sición; de manera que no he estudiado la asignatura. Además del sable tengo una novia enferma del corazón, y quiere que esté siempre á su lado leyéndola poesías de Barrantes.

—¡Pobrecilla! 20

—¡Así está ella de desmejorada y débil! ¡Con decirle á usted que tienen que subirla á la cama entre su mamá y un guardia de Orden público, novio de la cocinera!

—Bueno; ¿pero usted está seguro de salir bien de los exámenes? 25

—Ya se ve que sí. Mire usted: uno de los profesores es uña y carne de mi tío; tanto que se tutean, y aun no hace un mes que se hicieron dos pantalones iguales.

—Pues entonces tenga usted como cosa segura un 5 «sobresaliente».

Ésta es una época horrible para los estudiantes. No hay más que ir á las casas de huéspedes para comprender todo lo que están pasando.

No comen á gusto, ni se afeitan, ni exigen á la patro-10 na que mejore la calidad de los artículos. Lo más que hacen es decirla, en forma cortés y mesurada:

—Doña Genoveva; estas albondiguillas parecen de fieltro. No hay Dios que las coma.

—Será porque está usted estos días excitado con los 15 *ensámenes*, y todo lo encuentra usted *desaborido*.

En efecto: el estudiante quiere aprender en unas cuantas noches lo que ha debido estudiar en seis meses de curso, y vive presa de la agitación, y no tiene reposo, y no le encuentra sabor á la comida, ni á nada.

20 Hay diferentes sistemas de estudiar. Unos estudian sentados ante la mesa, con la frente apoyada en los puños; otros se tienden sobre la cama, colocando los pies en la pared; otros se pasean por la habitación, recitando en voz alta las lecciones, y otros se ponen en 25 cuclillas sobre el baúl, porque dicen que así se les desarrolla la inteligencia. Rarezas de los estudiantes.

Los papás sufren tanto como los alumnos mismos cuando llegan estos días de exámenes.

—¿Qué tiene usted, D. Prisco?—preguntamos á 30 alguno.

—Estoy preocupado—contesta él.—Mi chico se examina el lunes, y estoy temiendo que me lo vuelquen.

Es muy listo, ¿sabe usted? pero le han tomado ojeriza los profesores.

Pocos son los padres que declaran á sus hijos imbéciles de solemnidad. Antes, por el contrario, dicen con la mejor buena fe del mundo: 5

—Mi chico tiene muchísima imaginación; pero no quiere estudiar, aunque le pinchen. No es que sea torpe; no, señor. Ayer mismo me estuvo diciendo de memoria todos los reyes godos: Amalarico, Wamba, Teudiselo, Atanagildo, Nabucodonosor; en fin, todos. 10

Pero los más temibles son los padres celosos. Éstos cifran toda su ventura en que sus hijos tengan una carrera, porque, como ellos dicen, el hombre sin carrera no es hombre ni es nada, y se pasan la vida diciendo á sus retoños: 15

—¡Fulanito, á estudiar!

Llegan los exámenes; el papá coge al chico por el cuello y le habla así:

—¡Mañana te examinas!... Pues bien; ó me traes buena nota, ¡ó te reviento! 20

Con lo cual el muchacho se asusta, y en vez de contestar á los profesores como Dios manda, se hace un lío ante el tribunal, y confunde á Isabel la Católica con el General Espartero, y á la Beltraneja con Zumalacárregui, y así sucesivamente. 25

En fin, que lo único que se necesita para ganar curso es saberse la asignatura.

Y encerrar á los padres celosos en la despensa.

NOTES

The references are to page and line.

Page 1. — 1. **Vigo,** a sea-port town of about 30,000 inhabitants in Galicia (northwestern Spain).

1. **hice mis primeras armas periodísticas,** *I entered the lists as a journalist.*

5. **Mis ilusiones . . . á Madrid,** *my one dream was to come to Madrid.*

14. **Hotel de París,** one of the principal hotels of Madrid situated in the famous square called the *Puerta del Sol.*

19. **Eduardo Chao,** an ardent Republican and advocate of government reforms, died in 1887.

Page 2. — 5. **le remito . . . para Gobernación,** *I send you a certificate of appointment to office in the Department of the Interior at a salary of 8,000* 'reales' *a year.*

13. **Queda suyo afmo. s. s. q. b. s. m. = Queda suyo afectísimo seguro servidor que besa sus manos,** *believe me very sincerely yours.*

14. **Andrés Borrego,** a Spanish statesman and author of works on political economy and Spanish history, died in 1891.

Page 3. — 5. **Pusiéronme . . . posesión,** *they noted on the document my assumption of office.*

10. **la Gaceta,** the government organ of official information.

23. *leendo, leendo* . . . **la comedia de Serra,** the words in italics are quoted from a play, *Don Tomás*, the masterpiece of a very clever, but eccentric dramatist, Don Narciso Serra, who died in 1877. It will be noted that the present participle of *leer* is incorrectly spelled.

Page 4. — 1. **¿ Por qué me mirará así ?** *What can be his reason* *for looking at me like that?* The future tense is employed here to express conjecture.

20. **me,** the ethical dative.

23. **Cuando estábamos en esto,** *when we had reached this point in the conversation.*

31. **espiando á los que expiaban,** it should be noticed here that the speaker in pronouncing *x* before a consonant like *s* follows popular usage and not the ruling of the Spanish Academy which insists upon the usual sound of *x* (equivalent to *ks*).

Page 5. — 13. **Pombo,** a café in the *calle de Carretas,* possibly the oldest one in Madrid. In the 18th century it was known as the *Botillería de Pombo.*

Page 6. — 3. **teatro de la Zarzuela,** one of the best-known theatres in Madrid, situated in the *calle de Jovellanos,* and devoted principally to the production of light operas and musical comedies.

Page 7. — 7. **Fornos,** a popular café in the *calle de Alcalá.*

Page 8. — 13. **Imperial,** a café formerly situated in the *Puerta del Sol.*

20. **Capellanes,** a music hall formerly in the *calle Capellanes.*

27. **odisea,** *adventures, wanderings;* the word employed in the text is the Spanish title of Homer's epic the *Odyssey* which recounts the wanderings of Odysseus or Ulysses.

31. *No ma dé ustet las grasias. Hoy pur ti y mañana pur mí,* the young Catalan's manner of pronouncing: *no me dé usted las gracias. Hoy por ti, y mañana por mí.*

Page 10. — 11. **Frontaura = Frontaura y Vásquez (Carlos),** a well-known journalist and dramatist.

18. **la Puerta del Sol,** *the Gate of the Sun.* According to Murray's Handbook for Spain, "Every one must begin with this celebrated square — this mythical 'gateway' which is now the centre of the capital, although it was once the Eastern entrance on which the rising sun shone. The gate has long since gone. . . The Puerta del Sol is the centre where all the great arteries of circulation meet and diverge, and where the chief pulse of Madrid life beats hardest and the high tides of affairs flow and ebb."

Page 12. — 9. **Osorio y Bernard (Carlos),** a journalist and extraordinarily prolific writer of children's books, dramas, biographical dictionaries, etc. He died in 1904. The quality of his work was not highly esteemed, a fact which probably increased Taboada's mortification at being mistaken for him.

12. **Variedades,** a Madrid theatre.

18. **Julián Romea,** one of the glories of the Spanish stage, died in 1869.

Page 14. — 3. **San Nicanor,** one of the seven deacons martyred at Cyprus, see Acts 6, 5. He is commemorated Jan. 10.

5. **viniendo . . . un día con otro,** *repeating the Lord's prayer about twenty-five times a day on an average.*

Page 16. — 1. **Barcelona,** the principal city of Catalonia, with a population of about half a million inhabitants.

13. **la capital del Principado** = Barcelona, the capital of the principality of Catalonia.

Page 17. — 16. **Conejo,** an imaginary person.

17. **Salvador** = **Salvador y Rodrigáñez (Amós),** a prominent politician, nephew of Sagasta.

20. **en éstas y las otras,** *in the meantime.* Neither *éstas* nor *otras* refer to any determinate noun. We have here an example of the frequent indefinite use of the feminine pronoun, singular or plural. The neuter pronoun *it* is used in the same way in English: *to be in for it, to have it out with a person.*

20. **Manresa,** a city of 20,000 inhabitants, forty miles to the northwest of Barcelona on the line to Saragossa and Madrid.

Page 19. — 12. **Venancio González,** a well-known statesman of the Liberal Party, who died in 1897.

Page 20. — 12. **Quise ponerme . . . por los pies,** *I tried to put on the trousers and I couldn't get them over my feet.*

Page 21. — 30. **Tres beces . . . sinperdida de tiempo** = *Tres veces estuvo el dependiente á cobrar las 50 pesetas que usted me adeuda, lo cual que espero me las remita sin pérdida de tiempo.* The Spanish language is much easier to spell than the English, but the little letter quoted in the text shows some of the difficulties which perplex the illiterate Spaniard. It is hard for him to tell whether to use *b* or *v* since both letters represent the same sound; he adds an *h* where it is unnecessary because he has met it often in other words where it was superfluous, and he doubles the *r* at the beginning of a word, because in that position it has the same sound as in the interior of words like *perro* and *carro* where it actually is doubled. The *que* and *espero* are run together for the simple reason that he pronounces the two words as one. The expression *lo cual que*, meaning, *therefore, on which account*, is clumsy, but common enough among the lower classes. Taboada is constantly introducing it into his sketches.

Page 23. — 3. **el ventanillo,** the little window or opening in the door which enables the Spaniard to scrutinize his visitor before admitting him.

Page 24. — 3. **extraordinaria,** *extra*, that is: not one of a subscription series. Many important *corridas extraordinarias* are given in the course of the year, but probably no one excites greater enthusiasm than that which opens the season on Easter Sunday. The first subscription bull-fight occurs the next day, Monday.

6. **apartado,** *the separating of the bulls*. On the morning of the bull-fight, the bulls collected in the *corral* or yard adjoining the ring are separated and placed in the *chiqueros* or pens in the *torii*, the enclosure from which they are driven later into the ring.

7. **balconcillo,** the balcony from which the spectators can watch the *apartado*.

15. **burladero,** a dodging place or narrow entrance in the barrier surrounding the bull-ring large enough to admit the fleeing bull fighter, but not the pursuing bull.

17. **Para toro . . . hace diez años,** *speaking of bulls, you should have seen one they had at Saragossa ten years ago during the celebrations in honor of the Virgin of the Pillar*. According to legend the apostle St. James on his arrival at Saragossa had a vision in which he saw the Virgin Mary standing on a pillar of jasper and surrounded by angels. The pillar and the statue of herself which the Virgin gave him are preserved in the *Santa Capilla* of the cathedral of *Nuestra Señora del Pilar*.

17. **Zaragoza,** Saragossa, the principal city of Aragon, on the Ebro river, with a population of about 100,000 inhabitants.

20. **la guardia civil,** the most efficient body of Spanish police its members always go in pairs. Their particular duty is the

guarding of country districts and railroads. Squads of from 25 to 50 are stationed in the larger cities, and are infinitely more efficacious in quelling disturbances than the ordinary police, the *guardias de orden público* or *guardias de seguridad* who are under the control of the governor, or the *guardias municipales*, under that of the mayor.

20. **Calatayud**, a city of 10,000 inhabitants in Aragon.

Page 25. — 4. **Parecen personas, mal comparados,** *they resemble human beings, excuse the comparison.* In comparing one thing with another the Spaniard often adds the apologetic little phrase, *mal comparado*, or some equivalent, as though he feared that his comparison might seem somewhat forced.

8. **duque** = the *Duque de Veragua* who possesses one of the most famous herds of bulls in Spain.

10. **Si no se agua . . . gran jaleo**: *If it does not rain* or *if nothing happens to prevent we shall have a rattling good time.*

18. **muchas señoras de su casa,** *many devoted housewives.*

26. **sombrero sevillano,** the felt hat with broad, flat brim and rather high crown worn by bull-fighters, *aficionados*, etc.

Page 27. — 1. **la gente del Cantábrico,** *the inhabitants of the coast of the Bay of Biscay* (*el mar Cantábrico*).

4. **San Sebastián,** the capital of the Basque province of Guipúzcoa, with a population of about 40,000. It is situated on the Bay of Biscay and is the most fashionable seaside resort in Spain.

5. **Santander,** another popular seaside resort, also situated on the Bay of Biscay. Its population is 55,000.

19. **un marido fresco,** Taboada has in mind the expression "fresh fish" and applies the adjective to the possible husband.

Page 28. — 1. **Somos las señoritas . . . decían á voz en cuello,** "*We are the Señoritas de Pulgón and have nothing to do with local disputes,*" *they shrieked.*

24. **uno gordo,** *a big one* (riot understood).

31. *guernicaco vigués*, an expression coined by Taboada. The national hymn of the Basques begins with the words "*Guernicaco arbola*," (the tree of Guernica). In the village of Guernica there is a famous oak tree under which the deputies from the Basque provinces used to meet every two years until the abolishment of their

fueros or privileges at the close of the second Carlist war in 1876, their punishment for having espoused the cause of Don Carlos. Among the privileges abrogated were exemption from military service without the Basque provinces and immunity from all taxes which did not provide for their own needs. Katherine Lee Bates in her "Spanish Highways and Byways" has described the present condition of the famous oak. "The portico (*of the Senate house*) . . . was formerly enveloped in the leafy shadow of the Sacred Tree; but what rises behind it now is only the gaunt stem of a patriarchal oak, a very Abraham of plants, all enclosed in glass, as if embalmed in its casket. Before the portico, however, grows a lusty scion, for the Tree of Guernica is of unbroken lineage, shoots always being cherished to succeed in case the centuried predecessor fail."

Page 29. — 1. **arrastre de un pelele . . . administración civil,** *dragging through the streets of some person in effigy dressed in the coat of ceremony* (worn at official functions).

Page 30. — 6. **la piedra filosofal,** *the philosopher's stone*, the imaginary stone which the alchemists of the middle ages believed to possess the property of transmuting the baser metals into gold.

11. **café Suizo,** one of the principal cafés in Madrid, situated in the *calle de Alcalá*. "Almost every Spanish town possesses a *Café Suizo*, often belonging to an enterprising Swiss, and generally good." — *Murray's Hand-book for Spain*, p. [15].

20. **Gamazo = Gamazo y Calvo (Germán)** a distinguished lawyer and politician, died in 1901.

Page 31. — 22. **Aunque me diera una peseta,** *not even if you gave me a peseta for one.*

26. **la Guindalera,** a suburb of Madrid, situated at some distance to the east of the *Paseo de la Castellana* and to the north of the Bull-Ring, and certainly very remote from the centre of things.

Page 33. — 2. **Muy señor mío, de todo mi respeto,** *Deeply respected Sir.*

7. **expuestas . . . la hidrofobia,** *exposed to a spontaneous* (or *sudden*) *attack of hydrophobia.*

Page 34. — 12. **á poco más se muere,** *she nearly died.* Notice the use of the present indicative after *á poco más*. It is quite common.

21. **Conservatorio,** the Conservatory of Music.

25. **la Castellana,** the most fashionable promenade in Madrid; it is one of the prolongations of the *Prado.*

31. **pasear la calle** is to pay court to a sweetheart by haunting the street in which she lives.

Page 35. — 3. **llevarse, comerse,** note the use of the ethical dative.

3. **sopas**; the *Manual de la Cocinera Española y Americana por el distinguido cocinero D. M. Brecarelli con veinticinco años de práctica*, says, "It is well known that in all classes of society soup is regarded with good reason as the principal basis of the meal; no one considers that he has dined well unless he has had his soup." For a foreigner the principal ingredient of the Spanish soups, apart from the soup stock itself, is bread in some form. Very rarely indeed is it lacking.

18. **empezando por el gato . . . tomador,** *from the cat to the pickpocket*, a jibe at the supposed immunity of the pickpocket.

Page 36. — **Cuestión pavorosa**; to preserve the pun in *pavorosa* the whole title might be translated *Fowl Treatment.*

Page 37. — 12. **y no ha sido . . . píldoras,** *and has not had the kindness to prescribe for me even a few miserable pills.*

Page 40. — 20. **uno con otro,** *all alike*, or *on an average.*

Page 41. — 5. **altramuces,** *lupine seeds.* For centuries the lupine seed has been an article of food for man and beast in Egypt and Southern Europe. It is said to have been a favorite with the philosophers, especially the sect of Cynics, and by the Romans it was eaten with oil and salt. The seeds are round and rather flat in shape, whitish without and yellow within. One of the methods adopted to remove the bitter taste of the shell which would render them unpalatable is that of soaking them in fresh or salt water.

7. *causalidá* = **casualidad.** This and other words in italics in the same and following lines represent peculiarities of pronunciation: *conozgo* is of course *conozco* and *m'hace falta, me hace falta.* Farther down in line 11, *Pus* is used for *Pues.*

12. **la Tabacalera,** the company which enjoys the monopoly of manufacturing and selling tobacco in Spain. In this particular instance the word means the headquarters of the company.

Page 42. — 14. **¿Ahora salimos con ésas?** *What! you ask me that now?* For the indefinite use of the feminine pronoun see the note for line 20, page 17.

Page 43. — 7. **polvos de gas,** powders used for cleaning metal, which have the odor of gas.

Page 46. — 2. **fiestas municipales,** great importance is attached to these city festivals, not only by the inhabitants of the city in question, but by those of the adjoining country districts and nearby towns. They are given in honor of some saint, usually the patron saint of the city or of Spain. The celebrations consist of elaborate religious services, processions, bull-fights, performances in the theatres, dances, fireworks and festivities of a similar nature.

7. *Madriz,* Taboada is laughing here at the pronunciation of the visitors to the city, a pronunciation, however, not peculiar to them alone. It is favored by natives of Madrid who speak affectedly. In a little sketch entitled *Las Camareras,* a timid, but elaborately courteous young gentleman says to the waitress:

—*Joven: ¿tiene ustez la bondaz de servirme café?* and a little later he asks her:

—*¿Es ustez de Madriz?*

—*Sí, señor.*

—*¡Caramba! ¡Qué casualidad! Yo también.*

The native of Madrid who is neither pedantic nor affected would pronounce the name of the city *Madrí.*

17. **Es lo bueno que tiene Madrid,** *the good thing about Madrid is;* the neuter article is used with the masculine form of the adjective when the latter is employed as an abstract noun.

23. **vistas panorámicas,** *panoramic views.* In American cities entertainment of a similar nature is afforded by the nickel-in-the-slot-machines. The panoramic views mentioned by Taboada, views of cities, landscapes, etc., were looked at, not in machines, but through small holes in the wall or partitions of the room or entertainment-parlor.

24. **la cabalgata de la Florida,** *the Paseo de la Florida* and the little church, the *Ermita de San Antonio de la Florida* are situated in the rear of the Northern Railway Station. One of the most popular Madrid festivals is the *Verbena* or night fair of *San Antonio*

de la Florida, celebrated on the evening before the Saint's day, which is June 13th. The *Cabalgata* mentioned is a procession on horseback which sets out from, and returns to the church.

25. **el palacio de Oriente,** the royal palace situated on the west side of the *Plaza de Oriente.*

Page 47. — 9. **aceite de Macasar,** *hair oil* or *Macassar oil.* The real Macassar oil used for dressing the hair came from Macassar, a district of the Island of Celebes.

26. **el Museo de Pinturas,** the famous *Museo del Prado,* one of the great picture galleries of the world, especially celebrated for its magnificent collection of works by Velázquez and Murillo.

Page 48. — 3. **el viaducto** = *el viaducto de Segovia,* an iron bridge from the S. W. corner of the *calle Mayor* to the *calle Morería* crossing the *calle Segovia.* It is one of the sights of Madrid, but has rather a sinister reputation owing to its being regarded as a convenient place for committing suicide. Policemen are stationed on the spot to prevent, as far as possible, catastrophes of this nature.

21. **está todo el día . . . en un vacío,** *she spends the whole day complaining because she has a pain in her side.*

24. **Villalón,** a small town in the province of Valladolid.

Page 49. — 9. **los Museos . . . al Bazar,** the *Museos* alluded to are in all probability not the different museums scattered about the city, but the *Museos Nacionales,* museums of modern art, natural history and archaeology situated in the upper part of the *Paseo de Recoletos.* The *Prado* is the fine boulevard extending from the Southern Railway station (*Estación del Mediodía*) to the *calle de Alcalá.* The lower half is called the *Paseo del Prado.* The upper half, the *Prado* proper, is the *Salón del Prado.* Formerly it was the fashionable promenade, but at present the upper classes prefer its continuations the *Paseo de Recoletos* and the *Paseo de la Castellana.* The *Plaza Mayor* on the other side of the town is one of the principal squares of Madrid. It was built in the early part of the seventeenth century. In the past, public celebrations and bull-fights were held there. It is now frequented principally by the lower classes. The *Bazar* or *Bazar de la Unión* is a large department store in the *calle Mayor.*

16. **sobreasadas,** Mallorcan sausages, bright red in color.

Page 50. — 9. **Es lo malo,** cf. note for line 17, page 46.

Page 51. — 1. **Yo llevo . . . atracos,** *I haven't been held up for six days.*

4. **Alberto Aguilera,** a faithful supporter of Sagasta, and at one time governor of the province of Madrid.

21. **De parte de ustedes,** an elliptical expression, the meaning of which is clear if a phrase like *serán muy bien recibidos* referring back to *recuerdos* is added. The simplest translation of the expression is, *thanks.*

Page 52. — 30. **¡ so indecente !** *you shameless fellow, you!* So is derived from *señor*, and is employed before insulting words to render them even more emphatic.

Page 53. — 5. **San Feliú de Guixols,** a seaport town in Catalonia with a population of about 10,000 inhabitants.

23. **tocar hacia adentro,** *play so that the sounds will remain within the room.*

Page 54. — 9. **Liszt (Franz),** the most famous pianist of the nineteenth century, died in 1886.

26. **nos pone . . . olla de grillos,** *makes our heads ring or buzz* (as though they were pots full of crickets).

Page 55. — 5. **tiene unas manos de oro,** *she plays like an angel.*

6. **la infanta,** the Infanta Isabella, aunt of the present king, who is noted for her love of music.

8. **Eguilior y Llaguno (Manuel de),** a Spanish politician for some time *Gobernador del Banco de España.*

8. **Carulla y Estrada (José María),** a Spanish writer. Among his many works are a translation of Dante's *Divine Comedy* and one of the Bible in verse.

9. **Silvela (Francisco),** the well-known statesman who died in 1905.

10. **Milán,** Milan, the capital of Piedmont in Northern Italy.

19. **Sagasta (Práxedes Mateo),** for many years leader of the Liberal Party, and at the head of the government during the Spanish-American War. He died in 1903.

26. **nos levante dolor de cabeza,** *makes our heads ache.*

Page 56. — 13. **más** *forte* = **más fuerte,** but *forte* is used for the sake of the pun.

Page 57. — 3. **Boulanger (Georges Ernest Jean Marie),** a French general who in 1889 very nearly succeeded in making himself ruler of France. To the great surprise of his supporters he fled from Paris on April 2nd of that year, and on Sept. 30, 1891, when he was practically forgotten he startled Europe by committing suicide in a cemetery at Brussels.

22. **estaba en relaciones con un joven,** *she was engaged to a young man.*

Page 58. — 2. **fué á caer . . . la pieza,** *she landed upon a five-cent street-booth* (or *stand*), that is, a street-stand every article upon which was offered for sale at the uniform price of a *real* and a half.

11. **Ten compasión . . . el pecho,** *Have pity upon your mother and don't conceal your troubles from her.*

Page 59. — 6. **No pasa día por él,** *he doesn't age a day.*

30. **Cáceres,** a city of about 14,000 inhabitants in Estremadura. It is of course situated far inland.

31. **le quitó la razón á don Bonifacio,** *decided against Don Bonifacio*, or *sided with Don Bonifacio's wife.*

Page 60. — 4. **no volverás á saber de mí,** *you'll never hear from me again.*

Page 61. — 1. **¿Está D. Casimiro?** *Is Don Casimir in?*

24. *tero* = **quiero.**

Page 62. — 2. **yo también . . . conejos desgraciados,** *I too laugh, a forced laugh.*

17. *queto* = **quieto.**

27. **por poco mata á la criada,** *he nearly killed the maid servant.* The present is used for a past tense after *por poco*, meaning *nearly.*

Page 66. — 7. **¡Ahora, con qué me esté ancho el frac de don Emeterio!** *Now, if only Don Emeterio's dress coat is not too big for me.*

13. **Universidad = la Universidad Central de Madrid,** one of

the ten universities of Spain. It was transferred to Madrid from Alcalá de Henares in 1836.

27. **distinguido literato, aunque inédito,** *a distinguished man of letters, though as yet he has published nothing.*

Page 68. — 17. **Marqués de Campo-Sagrado,** a Spanish nobleman noted among other things for his obesity.

Page 69. — 24. **corremos nuestras** *juerguecitas* **correspondientes,** *we indulge in what little rackets* or *pastimes we can.* The words *juerguecita* and *jaleo*, in addition to meaning amusement, sport, game, pastime, convey the idea of accompanying noise. *Correspondiente* really signifies: appropriate to or demanded by the time and the place.

Page 70. — 30. **Hace mucho tiempo que se viene hablando,** *for a long time there has been talk.*

Page 71. — 8. *presillo* = **presidio**: *probe* = **pobre.**

8. **al** *probe* **le salieron doce años,** *the poor fellow got twelve years.*

15. *causalidad* = **casualidad.**

22. **las Ventas = las Ventas del Espíritu Santo,** a quarter or place of popular resort for the lower classes of Madrid.

27. **el Ministro del ramo,** that is, the minister of the department under whose jurisdiction the matter falls, viz: *el Ministro de Gracia y Justicia*, Minister of Justice and Worship.

28. **formar un expediente,** *to make an investigation and report.*

Page 73. — 2. **Al que . . . una friolera,** *for anyone who knows how to manage living expenses are a mere trifle.*

Page 74. — 27. **Esto es Tarrasa = Esto es de Tarrasa,** *This cloth was made at Tarrasa.* Tarrasa is a town of some 14,000 inhabitants in Catalonia. It possesses several cloth factories. *Esto* is employed here to represent an object not specifically named Cf. Garner, Grammar, §85.

Page 75. — 16. **Cuzcurrita,** a little place in Navarra.

Page 76. — 10. **perro grande,** in Madrid in 1870, copper coins were struck off bearing on one side the image of a lion supporting a shield. This lion the common people, and not unnaturally, mistook for a poodle dog, hence the name *perro grande*, given to a ten *céntimo* piece and *perro chico* to the one worth five.

18. **cualquier día . . dos pesetas,** *I should never have got the cage for two pesetas.*

Page 77. — 7. **persona de muchísimas relaciones,** *a person who has many influential friends* or *a person with a big pull.*

19. **Barrantes (Vicente),** a poet and historian who died in 1898.

21. **¡Así está ella . . . novio de la cocinera!** *My, but she is run down and weak! You'll understand when I tell you that she has to be carried up to her bed by her mother and a policeman who's engaged to the cook.*

Page 78. — 13. **No hay Dios que las coma,** *God himself couldn't eat them,* or *no one could eat them.*

15. *ensámenes* = **exámenes.**

Page 79. — 9. **Amalarico . . . Nabucodonosor,** *Amalaric, Wamba, Theudigisel, Athanagild, Nebuchadnezzar.* Passing over the unhappy addition of Nebuchadnezzar to a list of Visigothic kings (*Que diable allait-il faire dans cette galère?*), Wamba lived in the seventh century A.D., and the other three monarchs in the sixth.

23. **Isabel la Católica,** *Isabel the Catholic,* wife of Ferdinand the Great, born in 1451, died in 1504.

24. **el General Espartero,** *Espartero (Baldomero), Duque de la Victoria,* the famous Spanish general who in 1839 signed with the Carlists the Convention of Vergara which closed the first Carlist war. He died in 1879.

24. **la Beltraneja,** *Juana la Beltraneja,* daughter of Henry IV of Castille, and supposed to be the daughter of Beltran de la Cueva She was born in 1462 and died in 1530.

24. **Zumalacárregui (Tomás),** the most famous Carlist leader in the first Carlist war. He died in 1835.

VOCABULARY

A

á, to, at, for, in, on, from, by; *sign of personal accusative*; — **la bayoneta**, at the point of the bayonet; — **los dos días**, two days later; — **los ocho días**, a week later; — **que**, in order to (*or* that); — **callar**, be silent! — **estudiar**, study! — **ver**, let us see; **al leer este nombre**, on reading this name.
abajo, down, below; **calle de Alcalá —**, down the *calle de Alcalá*.
abandonado, –a, abandoned, helpless.
abandonar, to abandon, leave.
abatido, –a, dejected.
abierto, –a, *see* **abrir**.
abnegado, –a, unselfish, self-sacrificing.
aborrecer, to abhor.
aborrecible, hateful, detestable.
abrace, *see* **abrazar**.
abrazar, to embrace.
abrigado, –a, sheltered, free from draughts.
abrigar, to shelter, protect.
abrigo, *m*., protection.
abrir, to open.
abrumador, –ora, overwhelming, wearisome.
absolutamente, absolutely.
absoluto, –a, absolute, perfect; **en —**, absolutely.
abuelita, *f*., grandma, granny.
abur, good-bye.
aburrir, *refl*., to be bored.
abuso, *m*., abuse.
acá, here, hither.
acabar, to end, finish; — **de**, to have just; *refl*., to come to an end, give out.
acceso, *m*., access.
accidente, *m*., accident.
acción, *f*., action, share, stock.
aceite, *m*., oil; — **frito**, pan grease.
aceituna, *f*., olive.
acento, *m*., accent, tone.
aceptar, to accept.
acerca; — **de**, about, concerning, with regard to.
acercar, to approach; *refl*., — **á**, to approach, come near to.
acerque, *see* **acercar**.
acometer, to attack.
acompañante, *m*., companion.
acompañar, to accompany.
acordar, *refl*., — **de**, to remember.
acorde, *m*., chord, harmony.
acordeón, *m*., accordion.
acostado, –a, abed, in bed.
acostar, *refl*., to go to bed, lie down.
acostumbrado, –a, accustomed, usual.
acostumbrar, *refl*., — **á**, to get used to, accustom oneself to.
acreditado, –a, accredited, distinguished, well-known.

acreedor, *m.*, creditor.
activo, -a, diligent, quick.
acto, *m.*, act; **en el —,** immediately.
actor, *m.*, actor.
actriz, *f.*, actress; **primera —,** leading lady.
acudir, to hasten to, betake oneself to.
acuerda, *see* **acordar.**
acuerdo, *see* **acordar.**
acuerdo, *m.*, consent, concurrence.
acuesta, *see* **acostar.**
achuchón, *m.*, push, squeezing, jostling.
adefesio, *m.*, a ludicrous misfit, a sight (*colloquial*).
además, besides, moreover.
adentro, inside, within.
adeudar, to owe.
adherir, *refl.*, **— á,** to adhere, stick fast to.
adiós, adieu, good-bye.
administración, *f.*, office, agency.
admirable, admirable.
¡admirablemente! splendid! fine!
admiración, *f.*, admiration, wonder.
admitir, to accept.
adoptar, to adopt.
adornar, to adorn.
adquirir, to acquire, obtain, get.
advertencia, *f.*, advice.
advertir, to notice.
advierto, *see* **advertir.**
afán, *m.*, eagerness, great desire.
afectísimo, -a, very sincere.
afecto, *m.*, affection.
afeitar, to shave; *refl.*, to shave oneself.
afición, *f.*, affection, liking, taste, tendency; **la verdadera —,** the real lover of the sport.
aficionado, -a, fond of.
aficionado, *m.*, amateur, devotee; **— de pura sangre,** the *bona fide* lover of the sport, true connoisseur.
afinador, *m.*, piano-tuner.
afirmar, to affirm, assert.
afirmativamente, affirmatively.
afirmativo, -a, affirmative.
afligir, to afflict.
afmo., *abbrev. for* **afectísimo.**
Agapitín, *diminutive of* **Agapito.**
Agapito, *proper noun.*
agarrar, *refl.*, **— á,** to clinch, cling to.
agente, *m.*, agent; **— de la autoridad,** police officer.
agitación, *f.*, agitation.
agosto, *m.*, August, harvest; **harán su —,** will reap a harvest, will make their fortunes.
agradable, agreeable.
agregar, to add, contribute.
agriar, to embitter, spoil.
agua, *f.*, water.
aguador, *m.*, water carrier.
aguar; si no se agua la fiesta, if it does not rain, if nothing happens to prevent.
aguardar, to await.
agudo, -a, shrill, sharp.
Aguilera, *proper noun.*
agujerito, *m.*, small hole.
agujero, *m.*, hole.
ahí, there, here; **por —,** there, yonder; **salen por —,** to leave the house, go out to walk.
ahogar, *refl.*, to drown oneself.
ahora, now.
ahorrar, to save, spare.
aire, *m.*, air, appearance.
aislado, -a, isolated.
aislamiento, *m.*, isolation.
aislar, to isolate.
ajeno, -a, other peoples; **— á,** ignorant of, foreign to.

ajo, *m.*, garlic.
al = á + el.
ala, *f.*, brim.
alargar, to hand a thing to another person.
alarmado, -a, alarmed.
alarmante, alarming.
alarmar, *refl.*, to become alarmed.
albardao, -a, chestnut-colored *or* almost black, the loins of a lighter shade.
Alberto, Albert.
albondiguilla, *f.*, meat ball.
alcaide, *m.*, warden.
Alcalá, *proper noun.*
alcalde, *m.*, mayor; — **mayor**, mayor.
alcance, *m.*, reach.
alcoba, *f.*, bed-room.
alcohol, *m.*, alcohol; wine *or* liquor (*slang*).
alegar, to allege.
alegrar, *refl.*, to rejoice, be glad.
alegre, merry, comic.
alegremente, gaily.
alegría, *f.*, joy.
alejar, to separate.
alemán, -ana, German.
Alemania, *f.*, Germany.
alentar, to encourage, cheer.
algarada, *f.*, noisy manifestation, riot.
algo, something, anything, somewhat.
algún, *see* **alguno.**
alguno, -a, some, some one.
aliciente, *m.*, attraction, inducement.
aliento, *m.*, breath; **el — vital**, the vital breath, life breath.
alimentar, to feed.
alivio, *m.*, relief.
alma, *f.*, soul; **¡hijo de mi —!** my darling child! my poor child!
almohada, *f.*, pillow, cushion.
almohadón, *m.*, large cushion, cushion.
almorzar, to breakfast.
almuerza, *see* **almorzar.**
almuerzo, *m.*, breakfast.
alón, *m.*, wing (of a fowl).
alrededor, around; **á mi —**, around me.
alterado, -a, altered, raised, angry.
altito, -a, rather high.
alto, -a, high; **alto empleado**, high in office; **en voz alta**, aloud.
¡alto! halt!
altramuces, *see* **voz.**
altramuz, *m.*, lupine seed.
aludir, to allude, refer to.
alumbrar, to light, give a light.
alumbre, *m.*, alum.
alumno, -a, *m. and f.*, pupil, student.
alza, *f.*, rise in price; **estar en —**, to be up.
allá, there.
allí, there; **— mismo**, right there.
ama, *f.*, mistress; **— de cría seca**, drynurse.
amabilidad, *f.*, affability.
amado, -a, beloved.
Amalarico, Amalaric.
amante, loving, in love.
amante, *m. and f.*, lover, sweetheart.
amar, to love.
amargamente, bitterly.
amargo, -a, bitter.
amargura, *f.*, bitterness, sorrow.
ambos, -as, both.
amenazar, to menace, threaten.
amenizar, to render agreeable.
ameno, -a, pleasant, elegant.
América, America.
americana, *f.*, sack coat.
amigo, -a, *m. and f.*, friend; **— del corazón**, dear friend.
amistad, *f.*, friendship; **recurrí á la —**, I applied to my friends.
amo, *m.*, master.

amor, *m.*, love.
amoroso, -a, affectionate, tender; **desengaño amoroso,** disappointment in love; **relaciones amorosas,** courtship.
amotinado, -a, *m. and f.*, rioter.
Ana, Anna.
ancho, -a, large, too big.
anda, come!
andar, to go, walk; — **de sombrero de copa,** to go about in a silk hat, to wear a silk hat.
andén, *m.*, railway platform.
Andrés, Andrew.
ángel, *m.*, angel.
angustia, *f.*, anguish.
anhelado, -a, coveted.
Aniceta, *proper noun.*
Aniceto, *proper noun.*
animal, *m.*, animal.
animalito, *m.*, small animal.
ánimo, *m.*, spirit, mind, intention.
aniquilar, to annihilate, destroy, crush.
anoche, last night.
ansiedad, *f.*, anxiety.
ante, before.
antelación, *f.*, anticipation; **con la debida** —, long enough beforehand, sufficient time in advance.
anterior, anterior, preceding; **el día** —, the day before.
antes, before, beforehand, first, formerly, rather; **cuanto** —, immediately, as soon as possible; — **de,** before.
anticipación, *f.*, anticipation; **con veinticuatro horas de** —, twenty-four hours beforehand.
antiguo, -a, ancient, old, former.
antipático, -a, repugnant, unpleasant, disagreeable.
antojar, *refl.*, — **á alguno,** to come into one's head, take a fancy to.
Antón, Anthony.
Antonio, Anthony.
anual, annual.
anunciar, to announce.
anuncio, *m.*, notice, announcement.
añadir, to add.
año, *m.*, year; — **que viene,** next year.
apagar, to extinguish, drown.
apaisado, -a, broader than long, oblong.
aparecer, to appear.
apartado, *m.*, the separating of the bulls.
apelar, to appeal, have recourse to.
apellido, *m.*, surname.
apenado, -a, grieved, put out.
aplauso, *m.*, applause.
aplazar, to postpone.
aplicar, to apply.
apostólico, -a, papal.
apóstrofe, *m.*, apostrophe.
apoyado, -a, leaning, resting.
apoyar, to support, rest, prop, press; *refl.*, — **en,** to lean against.
apreciar, to appreciate.
aprender, to learn.
apresurar, *refl.*, — **á,** to hasten to.
aprobado, -a, approved; **ser** —, to pass an examination.
aprobar, to approve, accept.
aprovechar, to take advantage of.
aproximar, to approach.
apuntador, *m.*, prompter.
apuntar, to note down.
apuro, *m.*, trouble, strait.
aquel, -ella, that.
aquél, -élla, -ello, that one, that, the one, the former.
aquí, here.
Aquilino, *proper noun.*
Aragón, Aragon.
arañar, to scratch.
ardor, *m.*, burning.

arenilla, *f.*, sand.
aritmética, *f.*, arithmetic.
arma, *f.*, arms.
armado, -a, armed.
armar, to arm, prepare; — **uno gordo,** to get up a big one (riot).
armonía, *f.*, harmony.
árnica, *f.*, arnica.
arrancar, to pull out, call forth; — **el pellejo á tiras,** to flay alive.
arrastre, *m.*, dragging.
arrebatar, to snatch, carry off.
arreglar, to arrange, adjust, settle; *refl.*, to manage, adapt oneself to circumstances; come to an understanding; **eso se arregla al momento,** that can be fixed in a minute; **todo se arreglará,** everything will come out all right.
arreglo, *m.;* **tiene facil —,** it can easily be altered.
arremeter, to attack, fall upon.
arrepentir, *refl.*, to repent.
arrepiento, *see* **arrepentir.**
arrimado, -a, leaning against.
arrojar, to fling, hurl; *refl.*, to throw oneself, fall upon.
arrollado, -a, swept away.
arrullado, -a, lulled.
arrullar, to lull.
arsénico, *m.*, arsenic.
arte, *m.*, art.
articulación, *f.*, joint.
artículo, *m.*, article; *plur.*, food.
artificial, artificial; **fuegos artificiales,** fire-works.
artista, *m.*, artist.
Arturo, Arthur.
asado, -a, roasted.
asalto, *m.*, assault.
aseado, -a, clean.
asegurar, to assure; *refl.*, to make sure.
aseo, *m.*, cleanliness.
así, so, thus, as follows; **así y todo,** even so, notwithstanding; **y así como vértigos,** and something like vertigo.
asiento, *m.*, seat.
asignatura, *f.*, course (of study).
asistencia, *f.*, aid.
asistir, to be present.
asomar, *refl.*, to appear, show oneself.
asombro, *m.*, dread, amazement.
aspecto, *m.*, appearance.
áspero, -a, rough, harsh.
Astray, *proper noun.*
asunto, *m.*, affair, matter.
asustado, -a, frightened.
asustar, to frighten; *refl.*, to be frightened.
atado, -a, tied, fastened together.
Atanagildo, Athanagild.
ataque, *m.*, attack.
atar, to tie, fasten.
atención, *f.*, attention.
atender, to attend, take care of.
atener, *refl.*, **saber á qué atenerse,** to know what to expect.
atento, -a, polite.
atiende, *see* **atender.**
atolladero, *m.*, fix, difficulty.
atracado, *m.*, victim of a hold-up.
atracador, *m.*, foot-pad.
atracar, to hold up.
atraco, *m.*, hold-up.
atrever, *refl.*, **— á,** to venture, dare.
atrocidad, *f.*, atrocity **¡ Qué — !** How extraordinary! How terrible!
atropellar, to trample under foot, insult.
atropello, *m.*, outrage.
atroz, atrocious, awful.
aturdido, -a, dazed.
aullar, to howl.
aumento, *m.*, increase.
aun, aún, even, just, still, yet; **— así y todo,** nevertheless.

aunque, although.
ausencia, *f.*, absence.
autor, *m.*, author.
autoridad, *f.*, authority.
auxilio, *m.*, help, aid.
avenga, *see* **avenir**.
avenir, *refl.*, — **á**, to agree to; **avéngase usted á razones**, be reasonable, listen to reason.
aventura, *f.*, adventure, plight.
avisador, *m.*, errand boy, call boy.
aviso, *m.*, announcement, notice; **pasar** —, to send word, give notice.
¡ay! alas!
ay, *m.*, sigh, complaint; **está todo el día en un ¡ay!** she is complaining *or* lamenting the whole livelong day.
ayer, yesterday.
Ayuntamiento, *m.*, City Hall.
azoramiento, *m.*, alarm, fright.
azote, *m.*, plague, pestilence, calamity.
azul, blue.

B

baba, *f.*, drivel; **limpiándose la** —, beside himself with delight, licking his chops.
babucha, *f.*, slipper.
badila, *f.*, fire-shovel.
bagatela, *f.*, bagatelle, trifle.
bailar, to dance.
baile, *m.*, ball.
bajar, to descend, lower; *refl.*, to descend, get down.
bajo, -**a**, low; **piso** —, ground floor; — **de talle**, long waisted; **por lo** —, secretly, in a secretive manner.
bajo, under.
balance, *m.*, balance sheet; **hacer el** — **diario**, to balance the books for the day.
balbucir, to stammer.
balcón, *m.*, balcony.
balconcillo, *m.*, little balcony.
balneario, -**a**, bathing.
banco, *m.*, bank.
bando, *m.*, decree, edict.
bañar, *refl.*, to bathe oneself, take a bath.
bañista, *m.*, bather.
baño, *m.*, bath, bathing-place.
barandilla, *f.*, banisters
barato, -**a**, cheap.
barato, cheaply.
barbaridad, *f.*, barbarity; **le contesta una** —, he makes an offensive answer; **¡Qué** —! How terrible! What a condition of things!
barbería, *f.*, barber's shop.
Barcelona, Barcelona.
Barrantes, *proper noun.*
barreño, *m.*, tub.
barrio, *m.*, quarter of the city.
base, *f.*, basis.
bastar, to suffice, be enough; **¡basta!** enough!
bastidores, *m. plur.;* **entre** —, in the wings.
bastón, *m.*, cane.
baúl, *m.*, trunk.
bayoneta, *f.*, bayonet; **tomarlo á poco menos que á la** —, to take possession of it almost at the point of the bayonet.
bazar, *m.*, bazar.
beber, to drink.
Beltraneja, *proper noun.*
belleza, *f.*, beauty.
bendición, *f.*, benediction.
bendito, -**a**, blessed.
beneficio, *m.*, benefit.
benevolencia, *f.*, benevolence.
Bernard, *proper noun.*
besar, to kiss.
besito, *m.*, little kiss.
bicarbonato, *m.*, bicarbonate
bien, well; **ó** —, or, or else.
bien, *m.*, good; **hombre de** —, an honest man; **sacar con** —,

to extricate successfully *or* creditably; **salir con —**, to come out *or* be successful.
bigote, *m.*, mustache.
billar, *m.*, game of billiards, el **mozo de —**, the billiard attendant.
billete, *m.*, ticket.
bistec, *m.*, beefsteak.
bisteques, *m. plur.*, *see* **bistec**.
bizco, **-a**, cross-eyed; **bizco del derecho**, with a cast in the right eye, *or* the right horn bent lower than the left one.
blusa, *f.*, blouse.
boca, *f.*, mouth.
bocado, *m.*, mouthful.
bofetada, *f.*, blow on the face with the open hand.
bola, *f.*, ball, globe.
bolsillo, *m.*, purse, pocket.
Bonifacio, Boniface.
boqueada, *f.*, gasp; **dando las boqueadas**, at the last gasp, dying.
boquete, *m.*, breach.
borde, *m.*, edge.
borrar, to efface.
Borrego, *proper noun.*
bota, *f.*, boot.
botica, *f.*, apothecary-shop.
boticario, *m.*, apothecary.
botillería, *f.*, refreshment saloon.
botina, *f.*, boot.
botón, *m.*, button.
Boulanger, *proper noun.*
boulevard, *m.*, boulevard.
bozal, *m.*, muzzle.
bracito, *m.*, little arm.
brazo, *m.*, arm.
brigadier, *m.*, brigadier, brigadier general.
brillar, to shine.
brillo, *m.*, brilliancy, lustre.
brisca, *f.*, a game of cards.
broma, *f.*, joke, jest.
bromuro, *m.*, bromide.
bronca, *f.*, brawl, riot.
bruces; **dar de —**, to fall headlong.
brusco, **-a**, brusque.
brutalidad, *f.*, nonsense, stupid remark *or* things.
bruto, *m.*, brute.
bucle, *m.*, curl.
buen, *see* **bueno**.
bueno, **-a**, *adj.*, good, well, great, fine; **lo — que tiene Madrid**, the good thing about Madrid.
bueno, *adv.*, well.
bulto, *m.*, swelling, bundle.
bullicioso, **-a**, noisy.
burladero, *m.*, dodging-place (to escape from the bull).
burlón, **-ona**, mocking.
burocrático, **-a**, bureaucratic; **tareas burocráticas**, office, *or* official work.
busca, *f.*, search.
buscar, to seek, look for; **ir á —**, to call for a person, come to get.
busque, *see* **buscar**.
busqué, *see* **buscar**.
butaca, *f.*, orchestra seat (facing the stage).

C

cabalgata, *f.*, cavalcade, procession.
caballería, *f.*, riding animal: **— menor**, ass.
caballero, *m.*, gentleman, knight, sir, Mr.
caber, to be contained; **no le quepa á usted duda**, do not doubt it for an instant.
cabeza, *f.*, head; **medio huevo por —**, half an egg a head; **de —**, headlong.
cabida, *f.*, space; **dar —**, to publish.

cabo, *m.*, corporal.
Cáceres, Caceres.
cada, each, every; — **cual**, each, everyone.
caer, to fall; — **de bruces**, to fall headlong.
café, *m.*, café.
caiga, *see* **caer**.
caja, *f.*, box.
calabazada, *f.*; **dándose de calabazadas contra la pared**, striking his head against the wall.
calamidad, *f.*, calamity.
Calatayud, Calatayud.
calentura, *f.*, fever.
calenturiento, **–a**, feverish.
calidad, *f.*, quality.
calma, *f.*, composure, self-possession.
calmante, *m.*, sedative, narcotic.
caluroso, **–a**, hot.
calzar, to put on shoes.
callar, to be silent; **á** —, be quiet! hush! say no more!
¡calle! Why! Strange!
calle, *f.*, street.
cama, *f.*, bed.
cámara, *f.*; **profesora de** —, court pianist *or* teacher.
camarero, *m.*, waiter.
cambiar, to change.
cambio, change; **en** —, on the other hand.
camino, *m.*, road, way; **ponerse en** —, to set out, start.
camisa, *f.*, shirt.
camisola, *f.*, shirt, dicky.
Camp de Padrós, *proper noun*.
campanilla, *f.*, door-bell.
campanillazo, *m.*, violent ringing of the door-bell.
campanudo, **–a**, pompous.
campo, *m.*, field, country.
Campo-Sagrado, *proper noun*.
canana, *f.*, cartridge-belt.
candoroso, **–a**, ingenuous.
canela, *f.*, cinnamon.
cansar, *refl.*, to become tired, weary.
cantábrico, **–a**, Cantabrian.
Cantábrico, *m.*, the Bay of Biscay.
cantado, **–a**, sung.
cantar, to sing.
cantidad, *f.*, quantity.
cañon, *m.*; **escopeta de dos cañones**, double-barreled gun.
capa, *f.*, cloak, cape.
capaz, capable.
Capellanes, *proper noun*.
capilla, *f.*, chapel.
capital, *f.*, capital (city).
capitán, *m.*, captain.
capota, *f.*, bonnet.
capricho, *m.*, whim, desire.
cara, *f.*, face, mien, appearance; — **de pocos amigos**, fierce expression.
carabinero, *m.*, carbineer, internal revenue guard.
carácter, *m.*, character, energy.
característica, *f.*, actress who plays old women's parts.
¡caramba! the deuce!
carambola, *f.*, carom (*billiards*).
caramelo, *m.*, caramel.
carbonera, *f.*, coal-bin.
carbonero, *m.*, coal-man.
cárcel, *f.*, jail.
cardenal, *m.*, black and blue spot.
cárdeno, **–a**, roan (color).
carecer, to lack.
caridad, *f.*, charity.
cariño, *m.*, affection.
cariñosamente, affectionately.
cariñoso, **–a**, affectionate.
Carlitos, Charley.
Carmen, *m.*; **la Virgen del** —, Our Lady of Mt. Carmel.
carmín, *m.*, carmine-color, blush.
carne, *f.*, flesh; **ser uña y** —, to be hand in glove.
caro, **–a**, dear, expensive.

carrera, *f.*, career, profession.
carreta, *f.*, long narrow cart.
carretera, *f.*, high-road.
carro, cart, wagon.
carta, *f.*, letter.
Carulla, *proper noun.*
casa, *f.*, house, home, shop; **en —**, at home; **¿Y en —?** and how are they all at home? **¡Ea, á —!** come, let's go home! **— de huéspedes**, boarding-house; **— de préstamos**, pawnbroker's shop; **— de socorro**, emergency hospital.
casado, -a, married.
cascabel, *m.*, bell, sleigh-bell.
casero, -a, domestic.
casi, almost.
Casimirín, *diminutive of* **Casimiro**.
Casimiro, Casimir.
caso, *m.*, case, fact, necessity; **hacer —**, to heed, mind.
casta, *f.*, caste.
Castellana, *proper noun.*
castigar, to punish.
casualidad, *f.*, chance.
catalán, -ana, Catalan.
cataplasma, *f.*, poultice.
catedrático, *m.*, university professor.
católico, -a, catholic.
catorce, fourteen.
causa, *f.*, cause; **á — de**, on account of.
causalidá, *see* **casualidad**.
cayó, *see* **caer**.
cazadora, *f.*, sack-coat.
cazuela, *f.*, stewing-pan.
cedacero, *m.*, maker of sieves.
ceder, to give up.
cegar, *refl.*, to become blind.
cejar, to relax, give up, yield.
celebrar, *refl.*, to take place.
Celina, *proper noun.*
celo, *m.*, zeal; *plur.*, jealousy.
celoso, -a, zealous.
cenar, to sup, eat for supper.
censura, *f.*, censure.
céntimo, *m.*, copper coin = one one-hundredth part of a peseta.
cerca, near; **— de**, near, about, nearly.
cerdo, *m.*, pig.
ceremonia, *f.*, ceremony.
cerilla, *f.*, wax match.
cerrado, -a, closed.
cerrar, to close, shut; **— el escaparate**, to put up the window shutters.
Cervantes, *proper noun.*
cesante, *m.*, dismissed government clerk *or* official; **quedar —**, to lose one's position; **me dejaron —**, they discharged me, I lost my position.
cesar, to cease.
cesta, *f.*, basket, crate, box.
ciego, *see* **cegar**.
cielín, *m.*, angel (*term of endearment*).
cielo, *m.*, heaven.
ciento, one hundred.
cierra, *see* **cerrar**.
cierres, *see* **cerrar**.
cierto, -a, certain, a certain; **por cierto**, certainly.
cifra, *f.*, figure.
cifrar; **— en**, to make a thing depend upon something else; *refl.*, **— en**, to consist only of.
cigarrito, *m.*, cigarette.
cigarro, *m.*, cigar.
cinco, five.
cincuenta, fifty.
cinta, *f.*, ribbon.
circular, to circulate.
cisco, *m.*, coal dust.
citar, to make a business appointment with anyone.
civil, civil.
claramente, clearly.
claro; **poner las cosas en —**, to clear up matters.

¡claro! of course!
clase, *f.*, class, kind, rank; **en — de,** as, in the capacity of.
clero, *m.*, clergy.
cobertizo, *m.*, shed, roof projecting from a building to serve as a protection from the rain.
cobrar, to collect, receive what is due.
cocido, -a, cooked, boiled.
cocido, *m.*, Spanish dish of boiled beef and vegetables.
cocimiento, *m.*, decoction.
cocina, *f.*, kitchen.
cocinera, *f.*, cook.
coco, *m.*, cocoa-nut.
coche, *m.*, railway carriage.
codiciado, -a, coveted.
coger, to seize, take, attack unexpectedly; **— vicios,** to get out of shape.
cogida, *f.*, a serious injury caused by the bull.
cogiendo, *see* **coger.**
coja, *see* **coger.**
cojo, -a, lame.
cola, *f.*, tail.
colaborar, to collaborate.
colmo, *m.*, height.
colocar, to place.
color, *m.*, color; **so —,** under pretext.
colorado, -a, red.
colorear, to redden.
collar, *m.*, collar.
comadre, *f.*, god-mother, old woman (*colloquial*).
combustible, *m.*, combustible.
comedia, *f.*, comedy.
comedor, *m.*, dining-room.
comencé, *see* **comenzar.**
comentar, to comment upon.
comentario, *m.*, commentary.
comenzar, to commence, begin.
comer, to eat, dine; **— mal,** to eat little and badly; **— á gusto,** to eat in comfort *or* at one's ease.
cometer, to commit.
cómico, -a, comic; **actor —,** comedian.
comida, *f.*, food.
comienza, *see* **comenzar.**
comienzo, *m.*, beginning; **dar —,** to begin.
comisario, *m.*, **— de guerra,** reviewing officer.
comisión, *f.*, commission.
como, as, like; **— no,** unless.
¿cómo? how? what? **¿ á —?** how much?
cómodamente, comfortably.
comodidad, *f.*, comfort, ease.
compadre, *m.*, god-father, pal.
compañero, *m.*, companion; **— de oficina,** fellow-clerk.
compañía, *f.*, company.
comparado, -a, compared.
compartir, to share.
compasión, *f.*, compassion, pity.
complacer, to humor.
completamente, completely.
complicado, -a, complicated.
componer, to compound, make up.
compra, *f.*, marketing.
comprado, -a, bought.
comprar, to buy.
comprender, to understand.
compuesto, -a, *see* **componer;** made up of.
comunicar, to communicate, inform.
comuniqué, *see* **comunicar.**
con, with; **¡— decirle á usted!** when I tell you! **— lo cual,** on account of which; **— tal de que,** provided that.
conato, *m.*, attempt.
concebido, -a, expressed.
concebir, to conceive.
concepto, *m.*, way; **por varios —s,** in many ways.
concibe, *see* **concebir.**
concluido, -a, completed, finished.

concluir, to conclude, end.
concluye, *see* **concluir.**
concluyen, *see* **concluir.**
concluyendo, *see* **concluir.**
concordia, *f.*, concord, union.
concha, *f.*, tortoise-shell, prompter's box.
Concha, *proper noun.*
condenar, to condemn.
condescendiente, condescending.
condición, *f.*, condition.
conducir, to conduct, lead.
conducto, *m.*, agency, channel through which any business is conducted; person by whose agency anything is accomplished.
condujeron, *see* **conducir.**
conejo, *m.*, rabbit.
Conejo, *proper noun.*
confianza, *f.*, confidence, familiarity, intimacy.
confiar, to trust.
confidencialmente, confidentially.
conforme, *adj.*, resigned.
conforme, *adv.*, as.
confundir, to confuse.
confusión, *f.*, confusion.
congraciar, *refl.*, — **con**, to ingratiate oneself with.
conmigo, with me.
conmover, *refl.*, to become moved.
conmueve, *see* **conmover.**
conocer, to know, become acquainted with, understand.
conocido, **-a**, known, well-known.
conocimiento, *m.*, knowledge; **sin** —, unconscious.
conozco, *see* **conocer.**
conozgo, *see* **conozco.**
conque, so then, well.
conquista, *f.*, conquest, gain; inventions; **ir de** —, to go flirting.
consecuencia, *f.*, consequence, result.
conseguir, to get obtain, succeed in.
consentido, **-a**, spoiled.
conserje, *m.*, watchman, janitor.
conservar, to preserve, keep.
conservatorio, *m.*, conservatory.
consideración, *f.*, consideration, importance, respect.
considerado, **-a**, esteemed, respected.
considerar, to consider.
consigan, *see* **conseguir.**
consigue, *see* **conseguir.**
consiguiente; **por** —, consequently.
constancia, *f.*, firmness.
constante, constant.
constantemente, constantly.
constar, to consist in, be stated.
constituir, to create.
construido, **-a**, constructed.
construir, to construct.
Consuelito, *proper noun.*
consuelo, *m.*, consolation; **tributar los —s de rigor**, to offer the customary expressions of sympathy.
consultar, *refl.*, to consult a physician.
contar, to count, tell, relate; — **con**, to rely upon; **¿Qué cuenta usted?** what is the news?
contener, *refl.*, to refrain.
contentísimo, **-a**, delighted.
contento, **-a**, satisfied, pleased.
contestación, *f.*, answer.
contestar, to answer, reply.
continuar, to continue.
contra, against, contrary to
contraria, *f.*; **llevar la** —, to contradict.
contrariar, to oppose, vex.
contrariedad, *f.*, disappointment.
contrario, *m.*; **por el** —, on the contrary.
contribución, *f.*, tax.
convencer, to convince; *refl.*, — **de que**, to be convinced that.

convendrá, *see* **convenir.**
convendría, *see* **convenir.**
convenido, -a, agreed upon.
convenir, to agree, suit.
conversación, *f.*, conversation.
conversar, to converse.
convertido, -a, converted, transformed.
convienen, *see* **convenir.**
cónyuge, *m.*, husband.
copa, *f.*; **sombrero de —**, silk hat.
copia, *f.*, copy, the making of copies.
copiar, to copy.
copiosamente, copiously; **llovía —**, it rained hard.
corazón, *m.*, heart; **amigo del —**, a dear friend; **el hijo de su —**, her darling son; **de todo —**, with all my heart.
corbata, *f.*, necktie.
corcho, *m.*, cork; **fabricante de —s**, cork manufacturer.
cordel, *m.*, cord, string.
cordoncito, *m.*, little cord *or* string.
cornetín, *m.*, cornet player; **— de pistón**, cornet-a-piston.
cornicorto, -a, short-horned.
coronel, *m.*, colonel.
corral, *m.*, yard, poultry-yard.
corrección, *f.*, correction, alteration.
corregir, to correct, change.
correr, to run, hasten.
correspondencia, *f.*, letters, articles.
corresponder, to answer, correspond.
correspondiente, apropos, timely, seasonable, opportune.
corrida, *f.*, bull fight.
corriendo, quickly; *see also* **correr.**
cortar, to cut.
corte, *f.*, capital (*city*), Madrid.
Cortes, *f. plur.*, Senate and Congress of Deputies.
cortés, courteous.
corto, -a, short.
cosa, *f.*, thing, affair; **como era tan poca —**, as he was so weak; **no es — de levantarse**, it is not the (proper) thing to get up.
cosilla, *f.*, trifle.
costado, *m.*, side.
costar, to cost.
costumbre, *f.*, custom; **de —**, usual, customary.
creado, -a, created.
crear, to create.
crecido, -a, increased, large, big.
credencial, *f.*, credential, certificate.
creer, to believe, think.
creyendo, *see* **creer.**
creyó, *see* **creer.**
cría, *f.*, act of nursing.
criado, -a, *m. and f.*, servant.
criatura, *f.*, creature, baby.
crimen, *m.*, crime.
criminal, criminal, guilty.
crisma, *f.*, head.
cruel, cruel.
cuaderno, *m.*, memorandum book.
cual, which; **el —, la —, lo —**, who, which; **cada —**, each one; **lo — que**, on account of which, wherefore; **con lo —**, wherefore, by which means.
¿cuál? what?
cualquier, *used before a noun for* **cualquiera.**
cualquiera, anybody, any, some; **cualquier día**, any day you like; **una casa —**, some house or other.
cuán, how.
cuando, when; **de — en —**, from time to time.
¿cuándo? when?
cuanto, -a, how much, as much, as much as; **unos —s, unas —s**, a few, some; **á todos —s**, to all who.

¿cuánto, -a? how much?
cuanto, as much as; **— antes,** immediately; **en —,** as soon as.
cuarenta, forty.
cuartito, *m.*, little room.
cuarto, -a, a quarter of.
cuarto, quarter, room, apartment, floor, copper coin; *translate* coppers *or* cents *when used in the plural;* **—tercero,** apartment on the third floor.
cuatro, four.
cuba, *f.*, cask.
cubrir, to cover; *refl.*, to put on one's hat.
cuclillas; ponerse en —, to squat.
cucharadita, *f.*, teaspoonful.
cuchillo, *m.*, knife.
cuchitril, *m.*, little room of the concierge, hole, corner.
cuello, *m.*, neck, collar of a garment; **decían á voz en —,** they shrieked; **doblar el —,** to die.
cuenta, *f.*, account, affair· **por — de,** on behalf of.
cuenta, *see* **contar.**
cuerdamente, prudently, wisely.
cuero, *m.;* **dejar en —s,** to strip.
cuerpo, *m.*, body, corps.
cuesta, *see* **costar.**
cuestión, *f.*, question, affair, dispute, quarrel.
cuidado, *m.*, anxiety, care, attention; **pierda usted —,** don't worry.
¡cuidado! look out!
cuidar, to take care of, look after.
culpa, *f.*, fault, guilt; **No echen Vds. la — á mí,** Don't blame me.
culpar, to blame, accuse.
cumplir, to fulfill.
cundir, to spread.
cuñada, *f.*, sister-in-law.
cuñado, *m.*, brother-in-law.
cura, *m.*, priest.
curiosidad, *f.*, curiosity.
curso, *m.*, course (*college*); **ganar —,** to pass the course.
cutis, *m.*, skin.
cuyo, -a, whose.
Cuzcurrita, Cuzcurrita.

Ch

chaleco, *m.*, waistcoat.
Chao, *proper noun.*
chaquet, *m.*, sack coat.
charada, *f.*, charade.
charol, *m.*, patent leather.
chato, -a, flat nosed.
chica, *f.*, girl.
chico, *m.*, little boy, lad, newsboy.
chillar, to scream.
chiquitín, *m.*, baby, little one.
chiquito, -a, little; **¡No se haga usted el chiquito!** Don't be too modest!
chispa, *f.*, spark.
chispillas, *f. plur.*, spitfire.
chiste, *m.*, joke, jest.
chocolate, *m.*, chocolate.
chocolatería, *f.*, chocolate shop.
chuleta, *f.*, chop.

D

D., = **don.**
D. A. B., *abbrev. for* **Don Andrés Borrego.**
daño, *m.*, harm.
dar, to give, strike; **— á,** to look out upon; **— á copiar,** to have copied; **— con,** to find; **— de comer,** to feed; **— de puñaladas,** to stab; **— comienzo,** to begin; **— cuenta,** to give an account; **— principio,** to begin; **— una vueltacita,** to take a turn, walk; **le da por des-**

trozarlo todo, she has a mania for destroying everything; **le dió tanta rabia,** she was so enraged; *refl.*, to occur.
de, of, from, to, by, with, than; **— viaje,** traveling; **— dos en dos,** two at a time; **— á,** at (*denoting price*); **— que,** that.
dé, *see* **dar.**
debajo, beneath; **— de,** beneath, under.
deber, to owe, be obliged, have to; (*expresses duty*).
debido, -a, due.
débil, weak.
decano, *m.*, dean.
decente, decent.
decidido, -a, decided.
decidir, *refl.*, **— á,** to decide to.
décimo, *m.*, tenth (of a whole ticket).
decir, to say; **un anuncio que decía así,** an advertisement which read as follows.
declarar, to declare, manifest; *refl.*, to declare oneself.
decreto, *m.*, decree.
dedicar, to dedicate; *refl.*, **— á,** to apply oneself to, give oneself up to.
dedo, *m.*, finger.
defensa, *f.*, defense, protection, safe guard.
definitivamente, definitively, once for all.
dejar, to leave, let; **¡ deje usted !** permit me, allow me, nonsense; *refl.*, **— caer,** to sink down.
del = **de+el.**
delante, before; **— de,** before, in front of.
delantera, *f.*, front seat.
delicadeza, *f.*, sensitiveness; **herir la — de,** to wound the feelings of.
delicado, -a, delicate, finical; **somos muy delicados para la comida,** we are very particular about our food.
delicia, *f.*, delight.
delincuente, *m.*, delinquent.
delito, *m.*, crime.
demagogo, *m.*, demagogue.
demás; lo —, the rest; **los —,** the others, the rest.
demasiado, -a, too, too great, too much.
demente, demented, insane.
demonio, *m.*, demon; **este — de chico,** this wretched child; **oler á —s,** to smell like the deuce.
¡ demonio ! the deuce !
demostración, *f.*, demonstration.
den, *see* **dar.**
dentadura, *f.*, teeth.
dentro, within; **— de,** within, inside of, in the course of.
dependiente, *m.*, employee, clerk.
depósito, *m.* **— municipal,** pound.
depurar, to clear up, investigate.
derecha, *f.*, right hand, right side.
derecho, -a, right.
derecho, *m.*, right.
derramamiento, *m.*, spilling, pouring out.
derramar, to pour forth.
desaborido, -a, insipid, tasteless.
desabrigado, -a, uncovered, shelterless.
desacato, *m.*, disrespect.
desahogar, to ease, relieve; *refl.*, to relieve oneself.
desaparecer, to disappear.
desarrollar, *refl.*, to develop.
desatar, *refl.*, **— en,** to break forth into.
desatino, *m.*, nonsense.
desazón, *m.*, queer feeling.
descansar, to rest.
descanso, *m.*, rest.

descifrar, to decipher.
desconocer, to ignore.
desconocido, -a, unknown.
desconsolador, -ora, depressing.
descoser, to rip.
descubrir, to discover.
descuidar, *refl.*, to be careless.
desde, from, since; — **que**, since.
desdén, *m.*, disdain.
desdeñoso, -a, disdainful.
desear, to desire.
desengaño, *m.*, disillusion; — **amoroso**, disappointment in love.
deseo, *m.*, desire, wish.
desesperación, *f.*, despair.
desesperado, -a, desperate, hopeless.
desesperado, *m.*, desperate man.
desgracia, *f.*, mishap, misfortune.
desgraciadamente, unfortunately.
desgraciado, -a, unlucky, unfortunate, miserable.
deshacer, *refl.*, to go out of business; — **en**, to exhaust oneself in doing a thing.
deshizo, *see* **deshacer**.
deshonrar, to dishonor.
desierto, -a, deserted.
desistir, to give up.
desmejorado, -a, thin, ailing, run-down.
desojar, *refl.*, to strain one's sight.
desorden, *m.*, disorder, riot.
despachar, to sell.
despacho, *m.*, office.
despedir, to emit, dismiss, escort a person to the door; *refl.*, — **de**, to take leave of.
despego, *m.*, indifference.
despensa, *f.*, pantry.
desperdiciar, to fail to take advantage of, waste.
desperdicio, *m.*, remnant, leavings.
despertar, to awake, awaken.
despiadadamente, impiously, cruelly.
despidió, *see* **despedir**.
despierto, *see* **despertar**.
despojar, to strip a person of his property.
después, afterwards, next, then, later; — **de**, after.
destino, *m.*, fate, appointment.
destrozar, to destroy, shatter.
destrozo, *m.*, havoc.
destruir, to destroy.
destruya, *see* **destruir**.
destruyeran, *see* **destruir**.
desvanecido, -a, fainting, in a swoon.
desventura, *f.*, misfortune, calamity.
desvergonzada, *f.*, shameless *or* impudent creature.
desvergonzado, -a, shameless, impudent.
detalle, *m.*, detail.
detener, to detain, stop; *refl.*, to tarry; **se detuvo más que nunca**, he was longer than ever.
determinado, -a, specified.
detestable, detestable.
detrás; — **de**, behind, after.
detuvieron, *see* **detener**.
detuvo, *see* **detener**.
devastador, -ora, destructive.
devolver, to restore, return.
devuelva, *see* **devolver**.
di, *see* **decir**.
día, *m.*, day; **á los dos —s**, two days later; **el mejor —**, some fine day; **el — menos pensado**, when least expected; **—s pasados**, a few days ago; **ocho —s**, week.
diablo, *m.*, devil.
diario, -a, daily, a day; **á —**, every day, daily.
diario, *m.*, daily newspaper.
dice, *see* **decir**.

dicen, *see* **decir.**
diciembre, December.
diciendo, *see* **decir.**
dictado, *m.*, dictation.
dictar, to dictate, command.
dicha, *f.*, happiness.
dicho, *see* **decir.**
dieciocho, eighteen.
diera, *see* **dar.**
dieron, *see* **dar.**
dieta, *f.*, fee; **—s de viaje,** allowance for traveling expenses.
diez, ten.
diferencia, *f.*, difference.
diferente, different.
dificultad, *f.*, difficulty.
diga, *see* **decir.**
digan, *see* **decir.**
dije, *see* **decir.**
dijera, *see* **decir.**
dijeron, *see* **decir.**
dijesen, *see* **decir.**
dijo, *see* **decir.**
dinero, *m.*, money.
dintel, *m.*, jamb (*of a door*).
dió *see* **dar.**
Dios, *m.*, God; **¡— mío!** good Heavens! **¡por —!** for Heaven's sake! **¡Hombre de —!** man alive!
diputado, *m.*, deputy, representative; **— á Cortes,** congressman.
dirá, *see* **decir.**
dirán, *see* **decir.**
director, *m.*, editor.
diría, *see* **decir.**
dirigir, to direct; *refl.*, **— á,** to go toward, address, apply to.
dirijo, *see* **dirigir.**
discutir, to discuss, argue.
disfrazado, –a, disguised.
disfrutar, to enjoy.
disgusto, *m.*, annoyance, vexation, quarrel, dispute; **á —s,** by means of petty annoyances.
disimular, to conceal.
disimulo, *m.*, dissimulation.
disminución, *f.*, diminution.
disolver, to dissolve.
disparar, to fire off, discharge.
disparate, *m.*, nonsense.
disparo, *m.*; **hacer —s,** to discharge a firearm, shoot.
dispensar, to excuse; **V. dispense,** excuse me; **es favor que V. les dispensa,** you are too kind, you are flattering them.
dispersión, *f.*, dispersion.
disponer, to prepare; *refl.*, **— á,** to get ready; to be about to.
disposición, *f.*, aptitude, inclination.
dispuesto, –a, prepared.
distinguido, –a, distinguished.
distraer, *refl.*, to amuse oneself.
distrito, *m.*, district; **juez del —,** magistrate.
divergencia, *f.*, difference.
diversión, *f.*, entertainment, amusement.
divertido, –a, festive, merry.
divertir, *refl.*, to amuse oneself.
divinamente, divinely.
divino, –a, divine.
doblar, to bend, double; **— el cuello,** to die.
doce, twelve; **las —,** twelve o'clock; **las — de la noche,** midnight.
docena, *f.*, dozen.
docilidad, *f.*, docility.
doctor, *m.*, doctor.
documento, *m.*, document.
dolor, *m.*, pain; **— de costado,** pain *or* stitch in the side; **— de cabeza,** headache.
dolorido, –a, doleful.
doloroso, –a, painful.
doméstica, *f.*, maid servant.
doméstico, –a, domestic.
domicilio, *m.*, abode, residence, domicile; house.

dominar, to control.
domingo, *m.* Sunday.
don, *m.*, Mr. (*used before Christian name*).
donde, where, in which, wherever.
¿ dónde ? where?
dondequiera, wherever.
doña, Mrs. (*used before Christian name*).
dormido, -a, asleep.
dormir, to sleep.
dos, two.
doy, *see* **dar**.
duda, *f.*, doubt.
dudar, to doubt.
dueña, *f.*, mistress, proprietress.
dueño, *m.*, master, proprietor.
duermo, *see* **dormir**.
dulce, mild, gentle, sweet.
dulcemente, gently.
dúo, *m.*, duet.
duque, *m.*, duke.
duración, *f.*, duration; **que es de mucha —**, which wears well.
durante, during.
durar, to last.
duro, *m.*, duro (*a coin worth 5 pesetas or approximately the American dollar*), dollar.

E

é, and (*before words beginning with* **i-** *and* **hi-**).
¡ ea ! Come now!
economía, *f.*, economy.
económico, -a, economical.
echar, to throw, bring forward; **— á correr**, to start to run; **— á** *presillo*, to send to the penitentiary; **— en olvido**, to forget; **— mano á**, to lay hands on; **— nuestras cuentas**, to cast our accounts; **— piropos**, to pay compliments; **echando fuego por los ojos**, his eyes flashing fire; **échese V. á pensar**, set your wits to work.
Eduardo, Edward.
efectivamente, actually, as a matter of fact, certainly.
efecto, *m.*, effect; **en —**, in fact.
efervescente, effervescent.
efusión, *f.*, shedding.
Eguilior, *proper noun.*
¡ eh ! eh!
ejecución, *f.*, performance.
ejecutar, to execute, play.
ejemplar, *m.*, copy.
ejemplo, *m.*, example.
ejercicio, *m.*, exercise.
el, the, the one, that.
él, he, him, it.
elección, *f.*, election, selection.
elefante, *m.*, elephant.
elegante, elegant.
elegido, -a, chosen.
elogio, *m.*, eulogy.
ella, ello, she, her, it, that; **ello fué que**, the fact was.
embarcar, *refl.*, to embark.
embargar, to embarass.
embozo, *m.*, that part of the Spanish national cloak, lined with velvet or some warm material, which, when thrown over the left shoulder, serves as a muffler.
Emerenciana, *proper noun.*
Emeterio, *proper noun.*
emoción, *f.*, emotion.
empedernido, -a, hardened.
empeñar, *refl.*, to persist, insist.
empeño, *m.*, earnest desire.
empezar, to begin.
empieza, *see* **empezar**.
empleado, *m.*, employee, clerk, office-holder; **alto —**, high in office.
emplear, to employ, spend.
empresa, *f.*, enterprise; **la**

— **monopolizadora de las cerillas,** the match monopoly.
empujar, to push, shove.
empujón, *m.*, violent shove.
emulación, *f.*, emulation.
en, in, into, to, upon, for.
enaguas, *f. plur.*, skirts.
enamorado, -a, in love.
encaminar, *refl.*, — **á,** to go toward, betake oneself to.
encantador, -ora, enchanting.
encanto, *m.*, charm.
encarado, -a, faced; **mal —,** evil looking.
encargado, -a, charged with.
encender, to light.
encerrado, -a, confined, shut up, locked up.
encerrar, to shut up, lock up; *refl.*, to lock oneself up.
encierra, *see* **encerrar.**
encima, upon; **llevar —,** to have with one; — **de,** on, upon, on top of.
encoger, to draw in, contract, wrinkle.
encoja, *see* **encoger.**
encontrar, to meet, find, find by chance; *refl.*, — **con,** to meet with.
encuentra, *see* **encontrar.**
encuentre, *see* **encontrar.**
enemiga, *f.*, enemy.
enemigo, *m.*, enemy.
enfermo, -a, ill, sick.
enfermo, *m.*, patient.
enfurecer, *refl.*, to rage, become furious.
enlace, *m.*, wedding, marriage.
enmudecer, to become dumb.
ennegrecer, *refl.*, to become black.
enojar, *refl.*, to be angry, offended.
enojoso, -a, vexatious.
enrevesado, -a, difficult, unintelligible, confused.
ensámenes, *see* **examen.**
ensayar, to rehearse.
ensayo, *m.*, rehearsal.
enseñar, to show, point out.
enterado, -a, informed.
enterar, *refl.*, to become aware, learn.
entero, -a, entire, whole.
entonces, then; **por —, por aquel —,** at that time.
entrada, *f.*, entrance.
entrañas, *f. plur.*, affection; **¡ hijo de mis — !** my beloved child.
entrar, to enter.
entre, among, between; — **tanto,** in the meanwhile.
entrecortado, -a, broken, faltering.
entregado, -a, given over to, absorbed in.
entregar, to hand over, deliver.
entresuelo, *m.*, entresol.
entretanto, in the meanwhile.
entusiasmado, -a, filled with enthusiasm.
entusiasmo, *m.*, enthusiasm.
envalentonar, *refl.*, to pluck up courage.
enviar, to send.
envolver, *refl.*, to wrap oneself up.
envuelto, -a, enveloped.
época, *f.*, epoch, time.
equipaje, *m.*, baggage.
equivocación, *f.*, mistake.
equivocar, *refl.*, to make a mistake.
era, *f.*, era.
era, *see* **ser.**
erguir, to raise.
ermita, *f.*, hermitage.
erupción, *f.*, eruption.
es, *see* **ser.**
escalera, *f.*, stair-case, stairs; **correr —s abajo,** to run down stairs.
escalón, *m.*, step of a stair.
escama, *f.*, resentment, distrust.

escapar, *refl.*, to escape.
escaparate, *m.*, show-window; **cerrar el —**, to put up the window shutters.
escarbar, to scratch.
escena, *f.*, the stage.
escobazo, *m.*, blow with a broom.
escoger, to select.
escojan, *see* **escoger**.
escondido, -a, hidden.
escopeta, *f.*, gun; **— de dos cañones**, double-barreled gun.
escozor, *m.*, sharp pain.
escribir, to write.
escrito, *m.*, writing.
escritor, *m.*, author.
escrupulosidad, *f.*, scrupulosity, conscientiousness.
escrupuloso, -a, scrupulous.
escudriñador, -ora, searching.
escurrir, to slip.
ese, esa, that, that near you.
ése, ésa, eso, that one, that near you.
esfuerzo, *m.*, effort.
esgrima, *f.*, fencing.
eso, that; **y — que**, although, in spite of the fact that; **con — de la corrida**, on account of the bull fight; **¿qué es —?** what is the matter?
espacio, *m.*, space.
espalda, *f.*, back, shoulders; *plur.*, back.
España, Spain.
español, -ola, Spanish.
Espartero, *proper noun.*
especialmente, especially.
especie, *f.*, kind.
Espejo, *proper noun.*
esperar, to hope, expect, await, wait for.
espiar, to spy.
espíritu, *m.*, spirit; **— de vino**, spirits of wine, alcohol; **— Santo**, Holy Ghost.
espontaneamente, spontaneously.
esposa, *f.*, wife.
esposo, *m.*, husband.
esquina, *f.*, corner.
establecer, to establish, levy.
establecido, -a, established.
establecimiento, *m.*, establishment; **— de paños**, cloth shop.
estación, *f.*, station.
estado, *m.*, state, condition.
estancar, to make a monopoly of, monopolize.
estanco, *m.*, shop where goods enjoying a monopoly like tobacco, matches, *etc.*, are sold. *Translate*, tobacco shop.
estar, to be; **— á cobrar**, to call to collect; **— en relaciones**, to be courting; **— para**, to be on the point of doing something; **¿ Está don Casimiro?** Is Don Casimir at home? *refl.*, to stay.
estás, *see* **estar**.
este, esta, this.
éste, ésta, esto, this one, this, the latter; **en éstas y las otras**, in the meantime.
esté, *see* **estar**.
estimar, to value.
estirar, to stretch out.
esto, this; **á todo —**, in the midst of all this, in the meantime.
estómago, *m.*, stomach.
estornudar, to sneeze.
estoy, *see* **estar**.
estrechar, to press, clasp; **estreché la mano de**, I shook hands with.
estrecho, -a, narrow, tight.
estremecimiento, *m.*, trembling.
estreno, *m.*, first performance.
estropajo, *m.*, bundle of esparto for scrubbing, *or* cleaning dishes, pots, *etc.*
estropear, to maim, cripple, spoil.

estudiante, *m.*, student.
estudiar, to study.
estudio, *m.*, study.
estuve, *see* **estar.**
estuviera, *see* **estar.**
estuvieran, *see* **estar.**
estuvieron, *see* **estar.**
estuviese, *see* **estar.**
estuvo, *see* **estar.**
etcétera, et caetera.
Etelvina, *proper noun.*
eterno, -a, eternal.
evadir, *refl.*, to escape.
evasión, *f.*, escape.
evitar, to avoid, escape, prevent, spare.
exagerado, -a, exaggerated.
exaltar, *refl.*, to be carried away by passion.
examen, *m.*, examination; **—es de fin de curso,** final examinations.
examinar, to examine; *refl.*, to be examined.
excelente, excellent.
exceso, *m.*, excess; **pagar con —,** to pay easily, more than pay for.
excitado, -a, excited.
exclamar, to exclaim.
excursionista, *m.*, excursionist.
excusar, to forego.
exigir, to exact, demand, urge.
existencia, *f.*, existence.
existente; todo lo —, everything.
existir, to exist.
exorbitancia, *f.*, exorbitance, an exorbitant price.
expansión, *f.*, expansion; **— domésticas,** pleasures of the family circle.
expediente, *m.*, despatch, report, the documents bearing upon a matter.
expender, to offer for sale.
experimentar, to experience, feel.
expiar, to expiate.
explicar, *refl.*, to account for.
explosivo, *m.*, explosive.
exponer, *refl.*, **— á que,** to run a risk of.
expongo, *see* **exponer.**
expresar, to express.
expresión, *f.*; **Déle usted muchas expresiones á su mamá,** Remember me very kindly to your mother.
expuesto, -a, exposed, in danger.
extender, to draw up.
extranjero, -a, *m. and f.*, foreigner.
extranjero, *m.*, foreign countries; **al —,** abroad.
extrañar, to surprise; **me extrañaba á mí,** I was surprised.
extraño, -a, strange.
extraordinario, -a, extraordinary, extra.

F

fabricante, *m.*, manufacturer.
facciones, *f. plur.*, features.
fácil, easy.
facilitar, to supply, give, offer.
fácilmente, easily.
facto; ipso —, in the fact itself, immediately.
facultativo, -a, medical.
facultativo, *m.*, physician.
fagot, *m.*, bassoon.
falda, *f.*, skirt.
falderilla, *f.*, little lap-dog.
falta, *f.*, lack, fault, defect; **hacer —,** to be needed, wanting; **ni** *m'hace falta*, nor do I need *or* want to.
faltar, to be deficient, be lacking, lack.
fama, *f.*, reputation.
familia, *f.*, family.
famoso, -a, famous.
farmacéutico, *m.*, apothecary.

farmacia, *f.*, pharmacy.
faro, *m.*, beacon, lighthouse.
farol, *m.*, lantern, street-lamp.
fastidiar, *refl.*, to be bored, disgusted, annoyed.
fatiga, *f.*, fatigue.
favor, *m.*, favor, compliment.
fe, *f.*, faith; **buena** —, sincerity.
febrero, February.
fecha, *f.*, date; **á estas —s**, now, to-day.
Federico, Frederick.
felicidad, *f.*, happiness.
Feliú, Felix.
feliz, happy.
feo, -a, ugly.
ferino, -a; **tos ferina**, whooping cough.
Fermín, *proper noun.*
feroz, ferocious.
Ferrer del Río, *proper noun.*
ferrocarril, *m.*, railroad.
festejo, *m.*, entertainment.
fielato, *m.*, office of the city customs (*at the city gates*).
fieltro, *m.*, felt.
fiesta, *f.*, festival, festivity.
figón, *m.*, eating-house.
figurar, to figure, be, appear; *refl.*, to imagine.
fijado, -a, posted.
fijar, to fasten, settle; *refl.*, to settle; **— en**, to notice; **Fíjese usted**, just see; why, look!
fijo, -a, fixed.
fila, *f.*, row.
filarmónico, -a, philharmonic, musical.
Filo, *proper noun.*
filosofal; **piedra** —, philosopher's stone.
fin, *m.*, end; **al** —, at last; **en** —, finally; **por** —, finally; **á — de**, in order to; **á — de que**, in order that; **á fines de**, about the end of.
fingir, *refl.*, to pretend.
fino, -a, courteous, fine.
finura, *f.*, courtesy, delicacy.
firma, *f.*, signature, name.
firmar, to sign.
firme, *m.*; **en** —, on terra firma
físico, -a, physical.
físico, *m.*, physique, body.
flaquear, to give way.
flato, *m.*, flatulence, wind.
flemón, *m.*, gum boil.
Florida, *proper noun.*
fogón, *m.*, cooking stove.
fomentar, to excite, encourage.
Fomento, *m.*; **Ministerio de** —, Department of Public Works.
fonda, *f.*, hotel.
forastero, -a, from without, from another locality, outsider.
forastero, *m.*, stranger, not a native, visitor.
forjador, *m.*, blacksmith.
forma, *f.*, form, terms, language.
formar, to draw up.
formidable, formidable.
Fornos, *proper noun.*
forro, *m.*, lining.
forte (*music*), loud, heavy.
fosforito, *m.*, match.
fósforo, *m.*, match.
frac, *m.*, dress-coat.
fragua, *f.*, forge.
francés, -esa, French.
francés, *m.*, French language.
Francia, France.
franco, -a, frank, open.
franquicia, *f.*, exemption from taxes.
frase, *f.*, phrase.
frecuentar, to frequent.
frecuentemente, frequently, often.
frenesí, *m.*, frenzy.
frente, *f.*, forehead, brow, countenance; **— á**, opposite.
fresco, -a, fresh.
fresco, *m.*; **tomar el** —, to take the air.
frío, -a, cold.

friolera, *f.*, trifle.
frito, **-a**, fried; **aceite frito**, pan grease.
Frontaura, *proper noun.*
frotar, to rub.
frutería, *f.*, fruit shop.
fué, *see* **ir**.
fué, *see* **ser**.
fuego, *m.*, fire, light; **—s artificiales**, fire-works.
fuente, *f.*, fountain.
fuera, without; **— de**, outside of, apart from.
fuera, *see* **ser**.
fueron, *see* **ser**.
fuerte, heavy, heavily.
fuerza, *f.*, force; *plur.*, strength.
fuese, *see* **ir**.
fuese, *see* **ser**.
fuésemos, *see* **ser**.
fuga, *f.*, flight, escape.
fugado, *m.*, fugitive.
fugar, to flee.
fuí, *see* **ir**.
fuí, *see* **ser**.
fuimos, *see* **ir**.
Fulanito, Young man! Johnny!
fumar, to smoke.
función, *f.*, performance; **— de toros**, bull-fight.
fundador, *m.*, founder.
fúnebre, lugubrious, fatal, morbid.
furia, *f.*, fury.

G

gabán, *m.*, overcoat.
gabinete, *m.*, small sitting-room.
gaceta, *f.*, gazette.
galante, gallant.
Gamazo, *proper noun.*
gana, *f.*, inclination, desire; **de buena —**, with pleasure, willingly.
ganar, to gain; **— curso**, to pass the course.
garbanzo, *m.*, chick-pea.
García, *proper noun.*
garrotazo, *m.*, blow with a heavy stick *or* cane.
gas, *m.*, gas.
gastar, to spend.
gato, *m.*, cat.
general; **por lo —**, generally
general, *m.*, general.
género, *m.*, kind, sort, cloth, goods.
generoso, **-a**, generous, noble.
genio, *m.*, nature, disposition, temper.
Genoveva, Genevieve.
gente, *f.*, people, inhabitants.
genuflexión, *f.*, genuflexion.
geografía, *f.*, geography.
Gertrudis, Gertrude.
gestión, *f.*, exertion, step; **ha practicado mil gestiones**, has shown the most praiseworthy activity.
gesto, *m.*, gesture, grimace.
girar, to revolve, spin.
gobernación, *f.*, government, **Ministerio de la —**, Department of the Interior; **sueldo de —**, salary as clerk in the Department of the Interior.
gobernador, *m.*, governor; **— civil**, governor of a province.
gobernante, *m.*, a person having charge of an affair.
gobierno, *m.*, government.
godo, **-a**, Gothic.
golfo, *m.*, gulf, abyss.
golpe, *m.*, blow.
González, *proper noun.*
gordo, **-a**, big, stout.
gorrilla, *f.*, small cap.
gota, *f.*, drop.
gozar; **— de**, to enjoy.
gracia, *f.*, grace; **no me hace — maldita**, does not please me at all; *plur.*, thanks.
gracioso, **-a**, graceful, attractive, clever.

gramática, *f.*, grammar.
gramo, *m.*, gram.
gran, *see* grande.
grana, *f.*, red (color).
grande, great, tall, big.
granular, granular.
grasia, *f.*, *see* gracia.
gratitud, *f.*, gratitude.
graznido, *m.*, squawk.
gremio, *m.*, society, company, guild.
grillo, *m.*, cricket.
gritar, to cry out, shout, exclaim.
grito, *m.*, cry; hablar á —s, to shout *or* speak at the top of one's voice.
gruñir, to grumble.
Gruyère, *proper noun.*
guardar, to keep.
guardia, *m.*, guard; — de orden público, policeman; — de seguridad, policeman; — civil, civil guard, member of body of rural police.
guarnicionero, *m.*, harness-maker.
guernicaco; — vigués, *see note.*
guerra, *f.*, war.
guiar, *refl.*, to be guided.
Guindalera, *proper noun.*
guipuzcoano, -a, native of Guipúzcoa.
guisa; á — de, like.
guisado, -a, cooked, fricasseed.
guisante, *m.*, pea.
guisar, to cook.
guitarra, *f.*, guitar.
Guixols, *proper noun.*
gustar, to please.
gusto, *m.*, pleasure; comer á —, to eat in comfort *or* at one's ease; le damos todos los —s, we let him do everything he wants; tener —, to take pleasure.
gustoso, -a, pleased, with pleasure.

H

haber, to have; — de, to have to; *also denotes futurity*; ¿qué le hemos de hacer? What are we to do about it? *impersonal*, to be; había, there was; habría, there might be; ha habido, haya habido, there has been; hubo, there was; hay, there is; ¿no sabe usted lo que —? don't you know what is the matter? no — más remedio, it can't be helped; — que, to be necessary; no — más que ir, it is only necessary to go.
habichuela, *f.*, French bean, kidney bean.
habitación, *f.*, room.
hábito, *m.*, habit, custom.
hablar, to talk; — á gritos, to shout.
habrá, *see* haber.
habría, *see* haber.
hacer, to make, do, behave, act; ¿cómo harán? how do they go about it? to be (*of weather and time*); hace pocos días, a few days ago; hace mucho tiempo que se viene hablando, for a long time there has been talk; no hace muchos días, not many days ago; no hace un mes, less than a month ago.
hacia, towards.
haga, *see* hacer.
hagan, *see* hacer.
hagas, *see* hacer.
hago, *see* hacer.
hallar, to find; *refl.*, to find one self, be.
han, *see* haber.
hará, *see* hacer.
harán, *see* hacer.
has, *see* haber.
hasta, until, as far as, up to;

— otro día, until we meet again; — otra vez, au revoir, good-bye till I see you again; — que, until.
hasta, even.
hay, *see* **haber**.
haya, *see* **haber**.
he, *see* **haber**.
hé; — **aquí**, behold, this is.
hecho, -a, made, become; *and see* **hacer**.
hecho, *m.*, fact, deed, act.
hechura, *f.*, making.
hemos, *see* **haber**.
herir, to wound.
hermoso, -a, beautiful.
heroico, -a, heroic.
hice, *see* **hacer**.
hicieron, *see* **hacer**.
hidrofobia, *f.*, hydrophobia.
hígado, *m.*, liver.
higuera, *f.*; **sal de —**, Epsom salts.
hija, *f.*, daughter, child, girl; **¡ Ay, — !** Ah, my dear.
hijo, *m.*, son, child; — **de familia**, a boy living at home with his parents.
himno, *m.*, hymn.
hincar; — **el diente**, to bite.
hinchado, -a, swollen.
historeador, *m.*, historian.
historia, *f.*, history.
hizo, *see* **hacer**.
hocico, *m.*, nose, muzzle.
hogar, *m.*, hearth, house, home; **en el seno del —**, in the bosom of their family.
hoja, *f.*, leaf, page.
hojalatero, *m.*, tinman, tinsmith.
¡ hola ! hello.
hombre, *m.*, man, husband; **¡ — !** *exclamation of surprise;* **¡ — de Dios !** man alive!
hombro, *m.*, shoulder.
hongo, *m.*, derby (hat); **sombrero —**, *the same.*
honrado, -a, honorable.
hora, *f.*, hour; **¿ á qué — ?** what time? **á estas —s**, at this hour, now.
hornilla, *f.*, kitchen-range.
horrible, horrible.
horror, *m.*, horror.
hotel, *m.*, hotel.
hoy, to-day, now-a-days.
hube, *see* **haber**.
hubiera, *see* **haber**.
hubieran, *see* **haber**.
hubimos, *see* **haber**.
hubo, *see* **haber**.
huelga, *f.*, strike.
hueso, *m.*, bone.
huésped, *m.*, boarder; **casa de huéspedes**, boarding-house.
huevo, *m.*, egg.
humanitario, -a, philanthropic.
humano, -a, human.
húmedo, -a, moist.
humillado, -a, humiliated.
humor, *m.*, humor; **¡ con un — !** in such a temper!

I

iba, *see* **ir**.
iban, *see* **ir**.
idea, *f.*, idea.
ideal, ideal.
iglesia, *f.*, church.
igual, similar, alike.
ilusión, *f.*, hope, dream.
imaginación, *f.*, imagination.
imbécil, *m. and f.*, imbecile. **imbéciles de solemnidad**, absolute fools.
impedir, to prevent.
imperial, imperial.
imponer, to impose.
importancia, *f.*, importance; **sin darse ninguna —**, without giving himself any airs.
importe, *m.*, amount, price.
imposible, impossible.
impresión, *f.*, impression.

impresionar, *refl.*, to be frightened.
improperio, *m.*, contemptuous reproach, insult.
incapaz, incapable.
inconscientemente, unconsciously.
incurrir; — **en,** to incur.
indecente, indecent, shameless.
índole, *f.*, disposition.
indubitable; saber de un modo —, to know for certain.
indultar, to pardon.
industria, *f*, industry, trade.
industrial, *m.*, tradesman.
inédito, -a, unedited.
inesperado, -a, unexpected.
infame, infamous.
infanta, *f.*, a princess of the royal blood of Spain.
infausto, -a, unhappy.
infeliz, unhappy.
infinito, -a, infinite.
influir, to influence.
influye, *see* **influir.**
informe, *m.*, information.
infructuoso, -a, fruitless.
ingenioso, -a, clever, ingenious.
Inglaterra, England.
iniciar, to initiate.
inicuo, -a, iniquitous.
injustificado, -a, unjustified.
inmediatamente, immediately.
inmenso, -a, immense.
inmolar, to immolate, sacrifice.
inocente, innocent.
inolvidable, unforgetable, not to be forgotten.
insignificante, insignificant.
insoportable, intolerable.
inspector, *m.*, inspector (*police*).
inspiración, *f.*, inspiration.
inspirar, to inspire.
instante, *m.*, instant.
instrumento, *m.*, instrument.
insuperable, insuperable.
intelectual, intellectual.
inteligencia, *f.*, intelligence, intellect, mind.
inteligente, intelligent.
inteligente, *m.*, connoisseur.
intendente, *m.*; — **militar,** quarter-master general.
intentar, to attempt, try.
interpelada, *f.*, the person addressed *or* appealed to.
interpelar, to challenge.
intervenir, to intervene.
interventor, *m.*, ticket-collector.
interviene, *see* **intervenir.**
intervino, *see* **intervenir.**
íntimo, -a, confidential, private.
introducir, to introduce, insert.
introdujo, *see* **introducir.**
inútil, useless.
inútilmente, uselessly.
inventor, *m.*, inventor.
invertir, to spend.
invierno, *m.*, winter.
ipso facto, in the fact itself, immediately.
ir, *or refl.*, to go, go away; — **de visita,** to pay a call; **fué á caer,** fell; **¿Quién va?** Who's there? **Vaya usted con Dios,** good-by.
ira, *f.*, wrath.
iracundo, -a, irascible, passionate.
irascible, irascible.
irguió, *see* **erguir.**
irregular, unsymmetrical.
irreparable, irreparable.
irritado, -a, angry.
irritante, irritating.
Isabel, Isabel.
Isidora, Isidora.

J

Jacobo, Jacob.
jaleo, *m.*, celebration, racket.
jamás, never.
jaqueca, *f.*, headache.
jardín, *m.*, garden.

jaula, *f.*, cage.
jaulita, *f.*, little cage.
jefe, *m.*, chief, head clerk ; **el — del personal**, the head of the office.
Jesús, Jesus.
¡ Jesús ! Good heavens!
ji, *sound made by child when crying.*
jícara, *f.*, chocolate cup.
jilguero, *m.*, linnet.
José, Joseph.
joven, young.
joven, *m. and f.*, youth, young woman.
Juan, John.
Juanelo, *proper noun.*
juanete, *m.*, bunion.
Juanita, Jenny.
júbilo, *m.*, glee, joy, delight.
Judas, Judas.
judía, *f.*, kidney bean.
judicial, judicial.
juega, *see* **jugar**.
juego, *m.*, sport ; **dar mucho —**, to put up a good fight.
juerguecita, *f.*, racket, spree (amusement, sport).
juez, *m.*, judge ; **— del distrito**, magistrate.
jugador, *m.*, gambler.
jugar, to play, gamble.
juguete, *m.*, comedietta, farce [(*play*).
juguetón, **-ona**, playful.
Julián, Julian.
junto, **-a**, united, together.
junto ; **— á**, close to, by, near.
jurar, to swear.
juventud, *f.*, youth.
juzgar, to judge.
juzguen, *see* **juzgar**.

L

la, *f.*, the.
la, her, to her, you.
labio, *m.*, lip.
laborioso, **-a**, assiduous, industrious.
lacero, *m.*, dog-catcher, pound man.
lado, *m.*, side.
ladrar, to bark.
ladrillo, *m.*, brick.
ladrón, *m.*, robber.
lamento, *m.*, lamentation.
lamer, to lick, lap.
lana, *f.*, wool; **de —s**, with wool, woolly, *or the same as* **perro de —s**, poodle.
lanilla, *f.*, flannel.
lanzar, to utter, pour forth; *refl.*, to rush forth.
largo, **-a**, long.
larguito, **-a**, rather long.
latín, *m.*, Latin (language).
latir, to beat.
láudano, *m.*, laudanum.
lavandera, *f.*, laundress.
lazo, *m.*, bow; **corbata de — hecho**, made up bow-tie.
le, him, to him, to her, you, to you.
lección, *f.*, lesson.
lectura, *f.*, reading.
leche, *f.*, milk.
lecho, *m.*, bed.
lechuga, *f.*, lettuce.
leendo, *incorrect form for* **leyendo**; *see* **leer**.
leer, to read.
lejos, far, far off.
lenguado, *m.*, sole.
lenteja, *f.*, lentil.
letra, *f.*, letter; **—s de molde**, print.
levantar, to raise ; *refl.*, to get up
levantisco, **-a**, turbulent.
leyendo, *see* **leer**.
libertad, *f.*, liberty.
libra, *f.*, pound.
librar, to free.
libre, free.
librería, *f.*, book-store.
ligeramente, lightly.
ligerísimo, **-a**, very light.
limitar, *refl.*, **— á**, to limit oneself to.

limón, *m.*, lemon.
limpiar, to clean, brush, wipe, polish.
limpieza, *f.*, neatness.
limpio, -a, clean.
lío, *m.*, bundle; **se hace un —**, he becomes confused; *cf. slang*, balled up.
lista, *f.*, list.
listo, -a, clever.
Liszt, *proper noun.*
literario, -a, literary.
literato, *m.*, writer, man of letters.
literatura, *f.*, literature.
lo, the; **— de ahí**, what goes on here, the state of affairs here; **— que**, that which, what, which.
lo, it, him.
localidad, *f.*, locality, seat; **cuestiones de —**, local disputes.
loco, -a, crazy, mad, wild.
loco, *m.*, madman.
locura, *f.*, madness, folly.
lograr, to succeed, succeed in, bring about.
López, *proper noun.*
loro, *m.*, parrot.
los, *m.*, the; **— de Vigo**, the inhabitants of Vigo.
lotería, *f.*, lottery.
luchar, to fight, contend.
luego, presently.
lugar, *m.*, place, occasion; **dar —**, to give ground for.
Luis, Louis.
Luján, *proper noun.*
lujoso, -a, luxurious.
lumbre, *f.*, fire.
lunar, *m.*, mole.
lunes Monday.

Ll

llamar, to call, ring a doorbell, knock at the door, attract; *refl.*, to be called, named.
llave, *f.*, key.
llegado; **recién —s**, new comers.
llegar, to arrive.
llegue, *see* **llegar**.
lleno, -a, full.
llevar, to carry, carry off, bear, wear, have, have upon one, take, lead, spend (time); **— encima**, to have with one; **— la contraria**, to contradict, thwart; **Yo llevo seis días libres de atracos**, I have escaped being held up for six days.
llorar, to weep.
llover, to rain.

M

m', *see* **me**.
ma, *see* **me**.
Macasar, Macassar.
machacar, to pound.
Madrid, Madrid.
Madriz, *see* **Madrid**.
maestro, *m.*, master, boss.
magnesia, *f.*, magnesia.
majadería, *f.*, silly speech, nonsense.
mal, *adj.*, *used for* **malo** *before masculine nouns.*
mal, *adv.*, ill, badly.
mal, *m.*, ill, wrong.
maldecir, to curse.
maldito, -a; **no . . . —**, not a bit.
malo, -a, bad, wretched, ill; **estar —**, to be ill.
mamá, *f.*, mamma, mother.
mancebo, *m.*, clerk.
mancha, *f.*, spot.
manchado, -a, spotted.
mandar, to send, order, command, tell; **— hacer**, to have made.

manera, *f.*, manner; **de mala —**, badly; **de — que**, so, then.
manga, *f.*, sleeve; **la — ancha**, unscrupulousness, carelessness.
manguito, *m.*, muff.
manifestar, to exhibit, show.
mano, *f.*, hand; **á —s llenas**, abundantly, with profusion; **echar — á**, to seize.
manojo, *m.*, bundle.
Manresa, Manresa.
mantel, table cloth.
manteleta, *f.*, mantle.
mantón, *m.*, large cloak *or* mantle.
Manuel, *proper noun.*
manuscrito, *m.*, manuscript.
mañana, to-morrow; **pasado —**, day after to-morrow.
mañana, *f.*, morning; **por la —**, in the morning; **traje de —**, morning clothes.
mar, *m. and f.*, sea.
marcadísimo, -a, very marked.
marchar, *refl.*, to march.
María, Mary.
marido, *m.*, husband.
marimorena, *f.*, riot.
Mariquita, *diminutive of* **María**.
marítimo, -a, maritime.
marqués, *m.*, marquis.
martes, Tuesday.
Martín, Martin.
mártir, *m. and f.*, martyr.
martirio, *m.*, martyrdom, torture.
marzo, March.
más, more; **— que por nada**, especially; **de —**, more, extra, too much; **lo —**, the most; **todo lo —**, a the most; **no . . . — que**, only; **Aquí nadie piensa — que en el niño**, Here no one thinks of anything else but the child; **¡ qué días estos — antipáticos !** what very disagreeable days these are!
matar, to kill; *refl.*, to commit suicide.
materia, *f.*, matter, material, subject.
matrimonio, *m.*, marriage, married couple.
matrona, *f.*, matron.
Mauro, *proper noun.*
mayor, greater, older, greatest, oldest, chief; **persona —**, adult; **alcalde —**, mayor.
mayoría, *f.*, majority.
me, me, to me.
mechón, *m.*, large lock of hair.
medicamento, *m.*, medicine.
medicina, *f.*, medicine.
médico, *m.*, physician.
médico-director, *m.*, physician in charge, medical director.
medida, *f.*, measure; **tomar —**, to take a person's measures.
medio, -a, half.
medio, half.
medio, *m.*, middle, means; **en — de**, in the midst of.
medir, to measure.
mejilla, *f.*, cheek.
mejor, *adj.*, better, best; **lo —**, the best; **á lo —**, when least expected; **el — día**, some fine day.
mejor, *adv.*, better, best.
mejorar, to improve.
Melchora, *proper noun.*
melodía, *f.*, melody.
melón, *m.*, musk-melon.
memoria, *f.*, memory; *plur.*, regards.
menear, to shake.
menestra, *f.*, vegetable soup, hotch potch.
menguado, -a, fatal.
menor, less, least.
menos, less, least; **cuando —**, at least; **ser — que**, to be inferior to, surpassed by.
mercancía, *f.*, traffic; **tren de —s**, freight train.

mercantil, mercantile.
Mercedes, *proper noun.*
merecer, to deserve, merit.
merezca, *see* **merecer.**
merezco, *see* **merecer.**
merluza, *f.*, cod-fish.
mérito, *m.*, merit.
mes, *m.*, month.
mesa, *f.*, table.
mesar, to tear the hair.
mesurado, -a, temperate.
Meteoro, *m.*, meteor.
meter, to put in, place; **si era posible —me en ferrocarriles**, if it were possible to get me a position in the railroad.
metido, -a, engaged, stationed.
mi, my.
mí, me.
miedo, *m.*, fear.
mientras, while; **— que**, while, so long as.
miga, *f.*, crumb.
Miguelín, *diminutive of* **Miguel**, Michael.
mil, thousand.
Milán, Milan.
militar, *m.*, soldier.
Millán, *proper noun.*
mimado, -a, spoiled.
mio, -a, my, mine.
ministerio, ministry, building where a department of the government is located.
ministro, *m.*, cabinet officer; **— de Gracia y Justicia**, Minister of Justice and Worship.
minuto, *m.*, minute, moment.
mirada, *f.*, glance.
mirar, to look, look at, scan, consider; **— á**, to look in the direction of; **¡Mire usted!** just look! why see! consider!
miserable, miserable.
mismo, -a, very, self, same.
mismo, same, very, self; **ayer —**, only yesterday.
misteriosamente, mysteriously.
moda, *f.*, fashion; **muy de —**, very fashionable.
moderno, -a, modern.
modo, *m.*, way, manner; **de — que**, so that.
molde, *m.;* **en letras de —**, in print.
molestar, *refl.*, to take trouble, put oneself out.
molestia, *f.*, bother.
mollate, *m.*, drink.
momento, *m.*, moment; **de un — á otro**, right away, immediately; **al —**, in a moment, immediately.
mona, *f.*, monkey (*female*).
monada, *f.*, darling, dear, pretty child.
moneda, *f.*, money.
monería, *f.;* **es una —**, he is very cunning.
Monje, *proper noun.*
mono, -a, cunning, pretty.
monopolizador, -ora ; la empresa (*or* **compañía**) **— ora**, monopoly.
morcilla, *f.*, blood pudding.
morder, to bite.
mordisco, *m.*, bite.
morir, to die; *refl.*, to die.
mortal, *m.*, mortal.
mortífero, -a, death-dealing.
mosca, *f.*, fly.
mostrador, *m.*, counter.
mostrar, to show.
motín, *m.*, insurrection, riot.
motivo, *m.*, motive, cause, reason; **con — de**, owing to.
mover, *refl.*, to bestir oneself.
mozo, *m.*, waiter; **— de billar**, billiard attendant.
muchacha, *f.*, girl (*hired*).
muchacho, *m.*, boy, lad.
muchísimo, -a, very much.
muchísimo, a very great deal.
muchismo, *see* **muchísimo.**
mucho, -a, much, plenty.
mucho, much, very, long.

mueble, *m.*, piece of furniture.
muerda, *see* **morder**.
muerde, *see* **morder**.
muere, *see* **morir**.
muero, *see* **morir**.
muerte, *f.*, death.
mueven, *see* **mover**.
mujer, *f.*, woman.
mundo, *m.*, world.
municipal, *adj.*, municipal.
municipal, *m.*, officer employed by the city to enforce its ordinances, policeman.
muñeca, *f.*, wrist.
murió, *see* **morir**.
murmurar, to murmur.
museo, *m.*, museum.
música, *f.*, music.
muy, very; — **señor mío**, my dear Sir.

N

Nabucodonosor, Nebuchadnezzar.
nacer, to be born.
nacional, national.
nada, nothing; **no . . . —**, not . . . at all; **¡ — !** not at all, not a bit of it, by no means.
nadie, no one.
Narciso, Narcissus.
nariz, *f.*, nose.
natal, native.
natural, natural.
naturalidad, *f.*, naturalness.
naturalmente, naturally.
Navidad, *f.*, Nativity, Christmas-day.
necesario, **-a**, necessary, needful; **lo —**, the wherewithal; **todo lo —**, all that is necessary.
necesidad, *f.*, necessity, need; **en mis —es**, when I am hard up.
necesitar, to need.
necio, *m.*, fool.
negar, *refl.*, to decline, refuse
negocio, *m. plur.*, business.
negrito, *m.*, small black bull
negro, **-a**, black.
nervioso, **-a**, nervous.
ni, neither, nor, not even, even
Nicanor, *proper noun.*
Niceta, *proper noun.*
ninguno, **-a**, no, none; *after a negative*, any, anyone.
niña, *f.*, girl, daughter; — **de lanas**, woolly little girl *or* little girl poodle.
niño, *m.*, child, boy.
no, no, not.
noble, noble.
noción, *f.*, notion, idea.
nocturno, **-a**, nocturnal.
noche, *f.*, night; **buenas —s**, good evening; **de la — á la mañana**, suddenly.
nombre, *m.*, name; — **y apellido**, full name.
norte, *m.*, North.
nos, us.
nosotros, **-as**, we, us.
nota, *f.*, mark.
notar, to note, notice.
noticia, *f.*, news; **según —s**, according to advices.
novedad, *f.*, change; **no hay —**, nothing new, as usual, all well.
novena, *f.*, novena, prayers offered up nine days to some saint for a particular object.
novia, *f.*, sweetheart, fiancée.
noviembre, November.
novio, *m.*, sweetheart.
nuca, *f.*, nape of the neck.
nuestro, **-a**, our, ours.
nueve, nine; **las —**, nine o'clock
nuevo, **-a**, new.
num., *see* **número**.
numerario, *m.*, cash, money.
número, *m.*, number.
nunca, never; *after a negative*, ever.

nupcias, *f. plur.*, marriage; **casado en segundas —,** married for the second time.

O

ó, or.
obedecer, to obey; to be due to.
objeto, *m.*, object, purpose.
obligar, to compel.
obra, *f.*, work.
obrar, to act.
obscuro, -a, dark.
obsequiado, -a, treated with civility.
obsequiar, to treat.
obsequio, *m.*, obsequiousness, civility, courteous attention.
obstáculo, *m.*, obstacle.
obtener, to obtain, receive.
ocasión, *f.*, occasion, opportunity.
ocio, *m.*, leisure.
octubre, October.
ocultar, to hide, conceal; *refl.*, to hide oneself.
ocupado, -a, occupied, full.
ocurrir, to happen, occur, come to one's mind.
ocho, eight; **— días,** a week; **las —,** eight o'clock.
odio, *m.*, hatred.
odioso, -a, odious.
odisea, *f.*, odyssey, adventurous wanderings.
ofender, to insult, injure; *refl.*, to be offended, take offence.
oficial, official.
oficial, *m.*, clerk in a public office.
oficina, *f.*, office.
ofrecido, -a, offered.
oído, *m.*, ear.
oiga, *see* **oír.**
oír, to hear, listen.
ojear, to stare at, look.
ojeriza, *f.*, spite; **le han tomado —,** they have taken a dislike to him, they have a grudge against him.
ojo, *m.*, eye; **— de la llave,** keyhole; **— de perdiz,** the eyes encircled by reddish rings; **ver con malos —s,** to regard with disfavor.
oleaje, *m.*, swell, surge.
oler, to smell; **— á demonios,** to smell like the deuce.
oliva, *f.*, olive.
olvido, *m.*, oblivion; **echar en —,** to forget.
olla, *f.*, pot.
ómnibus, *m.*, omnibus.
once, eleven; **las —,** eleven o'clock.
operación, *f.*, operation.
opinión, *f.*, opinion.
oponer, to oppose; *refl.*, **— á,** to oppose.
oportuno, -a, necessary.
oposición, *f.*, opposition.
ora, now.
oración, *f.*, prayer; **estar en —,** to pray, be praying.
orden, *m. and f.*, order, command, class; **guardia de — público,** policeman.
ordenar, to order.
oreja, *f.*, ear.
orgullo, *m.*, pride.
Oriente, *m.*, orient, the east; **palacio de —,** the royal palace.
original, original.
oro, *m.*, gold.
Orosio, Orosius.
orquesta, *f.*, orchestra.
ortográfico, -a, orthographical.
oscuro, -a, dark; **á oscuras,** in the dark.
Osorio y Bernard, *proper noun.*
otro, -a, other.
otro, -a, other, another; **si fuera —,** if he were anybody else.
oye, *see* **oír.**
oyendo, *see* **oír.**
oyó, *see* **oír.**

P

paciencia, *f.*, patience.
paciente, *m.*, patient.
padecer, to suffer.
padre, *m.*, father; *plur.*, parents.
padrenuestro, *m.*, Lord's prayer.
Padrós, *proper noun.*
pagar, to pay.
país, *m.*, country.
paisano, *m.*, fellow-countryman.
pajarero, *m.*, bird-seller.
pájaro, *m.*, bird.
palabra, *f.*, word; — **de rey,** inviolable, irrevocable word.
palacio, *m.*, palace; — **de Oriente,** royal palace.
palco, *m.*, box.
palidecer, to turn pale.
pálido, -a, pale.
paliducho, -a, pallid, ghastly.
palillo, *m.*, tooth-pick.
palmatoria, *f.*, small candlestick with a handle; ferule.
palo, *m.*, stick.
paloma, *f.*, pigeon, dove.
Palomo, *m.*, *proper noun.*
pan, *m.*, bread.
pánico, *m.*, panic.
panoli, *m.*, fool.
panorámico, -a, panoramic.
Pantaleón, *proper noun.*
pantalón, *m.*, *also plur.*, pair of trousers.
pantorrilla, *f.*, calf of the leg.
paño, *m.*, cloth.
pañuelo, *m.*, handkerchief.
papá, *m.*, papa, *plur.*, parents.
papaíto, *m.*, *diminutive of* **papá.**
papel, *m.*, paper.
papelista, *m.*, paper-hanger.
papelito, *m.*, bit of paper.
paquete, *m.*, package.
par, *m.*, couple.
para, for, to, in order to; — **que,** in order that, that; **la cosa no es — tanto,** the matter is not so serious as all that.
pára, *see* **parar.**
parada, *f.*, parade.
parado, -a, standing.
paraguas, *m.*, umbrella.
paraíso, *m.*, paradise, gallery (of a theatre).
parar, to stop.
parecer, to appear, look like seem; **al —,** seemingly.
parecido, -a, similar; **bien —,** good looking.
pared, *f.*, wall.
parentesco, *m.*, relationship.
pariente, *m.*, relative.
París, Paris.
parlamentario, -a, parliamentary.
párpado, *m.*, eyelid.
parroquiano, *m.*, customer.
parte, *f.*, part; **no . . . á ninguna —,** not . . . anywhere, **á otra —,** elsewhere; **de tu —,** on your side; **de — de ustedes,** thanks; *m.*, telegram.
particular, special, private.
partido, *m.*, district.
pasado, -a, past; **pasado,** *or* **pasado mañana,** day after tomorrow; **noches pasadas,** some nights ago.
pasar, to pass, enter, spend (time), happen; — **aviso,** to send word; **un animalito que no pasa de los seis años,** a little animal not over six years old; **pero no pasan de ahí,** but they stop there; **desde que pasó la tos ferina,** ever since she had the whooping cough; **pase usted,** come in, please; **páselo usted bien,** good-bye; *refl.*, to pass; **aquí se pasa muy bien,** here one gets along very well; **Pásese por casa,** drop in.
pasear, to walk, promenade: *refl.*, to walk up and down.

paseo, *m.*, walk, lobby.
pasillo, *m.*, corridor, aisle.
pasión, *f.*, passion.
paso, *m.*, step, effort, passage, way; **de —,** at the same time; **salir del —,** to get out of the difficulty.
pata, *f.*, leg.
patada, *f.*, kick.
patata, *f.*, potato; **—s rizadas,** potato curls.
patio, *m.*, court-yard.
patita; ponerla de —s en el comedor, to bounce her into the dining-room.
patriótico, -a, patriotic.
patrona, *f.*, boarding-house keeper.
pavo, *m.*, turkey.
pavoroso, -a, frightful.
paz, *f.*, peace.
¡ pchs ! pshaw!
pecho, *m.*, breast.
pedazo, *m.*, piece; **hacer —s,** to break *or* tear to pieces.
pedir, to ask for.
pedrada, *f.*, throwing of a stone.
pegar, to strike, hit, beat; **pegándole puñetazos,** punching her.
peineta, *f.*, shell comb.
pelele, *m.*, stuffed figure.
peligro, *m.*, danger.
pelo, *m.*, hair, nap (*of cloth*).
peluquería, *f.*, hair-dressing shop.
pellejo, *m.*, skin.
penado, -a, sorrowful.
penado, *m.*, convict.
penetrar, to enter.
penitenciario, -a, penitentiary.
penitenciario, *m.*, penitentiary.
pensado, -a; el día menos —, when least expected.
pensamiento, *m.*, thought.
pensar, to think, intend; **— en,** to think of.
pensionar, to pension.
peor, worse, worst.
Pepa, Josie.
Pepe, Joe.
pequeño, -a, little.
pequeñuelo, *m.*, little one, infant.
percebe, *m.*, goose-barnacle, fool (*compare the American slang expression, lobster*).
perder, to lose; **pierda usted cuidado,** have no fear.
pérdida, *f.*, loss.
perdido, -a, lost.
perdiguero, *m.*, setter (*dog*).
perdiz, *f.*, partridge.
perdonar, to pardon.
peregrino, *m.*, pilgrim.
perejil, *m.*, parsley.
perfectamente, perfectly, exactly (so).
periódico, *m.*, newspaper.
periodista, *m.*, journalist.
periodístico, -a, journalistic.
perjudicar, to injure.
permanecer, to remain.
permitir, to permit; *refl.*, to take the liberty to.
pero, but.
perplejo, -a, perplexed.
perra, *f.*, dog (*female*).
perro, *m.*, dog; **— grande,** copper coin worth about two cents.
persecución, *f.*, persecution.
perseguir, to pursue.
persiga, *see* **perseguir.**
persona, *f.*, person; **— mayor,** adult.
personaje, *m.*, personage, person of importance.
personal, *m.*; **el jefe del —,** the head of the office.
perspectiva, *f.*, prospect.
pertenecer, to belong.
perturbación, *f.*, perturbation.
pésame, *m.*, condolence; **dar un —,** to condole.
pesar, *m.*; **á — de,** in spite of, **á — suyo,** in spite of himself

peseta, *f.*, peseta (*coin worth about twenty cents*).
petaca, *f.*, cigar *or* cigarette case.
piadoso, -**a**, pious.
pianista, *m. and f.*, pianist.
piano, *m.*, piano.
pianófero, *m.*, piano crank.
pianoforte, *m.*, pianoforte.
picado, -**a**, pitted.
pícara, *f.*, wretch.
picardía, *f.*, rascally act, knavery.
pícaro, *m.*, rascal, wretch.
pico, *m.*, beak.
pide, *see* **pedir**.
piden, *see* **pedir**.
pidiendo, *see* **pedir**.
pie, *m.*, foot; **de** —, standing; **ponerse de** —, to stand up.
piedad, *f.*, mercy, pity.
piedra, *f.*, stone; — **filosofal**, philosopher's stone; — **alumbre**, alum.
piensa, *see* **pensar**.
pienso, *see* **pensar**.
pierda, *see* **perder**.
pierde, *see* **perder**.
pierden, *see* **perder**.
pierna, *f.*, leg.
pieza, *f.*, piece, play (*theatrical*), roll of cloth.
pilar, *m.*, pillar.
píldora, *f.*, pill.
pilón, *m.*, watering trough.
piltrafa, *f.*, a bit of meat consisting almost entirely of skin.
pillín, *m.*, rascal, rogue.
pinchar, to prick, stab.
pingajo, *m.*, rag.
Pingarrona, *proper noun*.
pinta, *f.*, outward *or* personal appearance.
pintado, -**a**, painted, depicted.
pintar, to paint.
pintura, *f.*, paint, painting, picture.
piropo, *m.*, compliment.
pisapapeles, *m.*, paper weight.
pisar, to tread, step; — **aquella casa**, to set foot within that house.
piso, *m.*, floor.
pistón, *see* **cornetín**.
pitillo, *m.*, cigarette; **haciendo —s**, rolling cigarettes.
plancha, *f.*, iron.
planchar, to iron.
planta; **redactores de** —, editorial staff.
plato, *m.*, dish, plate.
platónico, *m.*, idealist, sympathetic non-combatant.
playa, *f.*, seaside resort; — **de moda**, fashionable seaside resort.
plaza, *f.*, square.
pleno, -**a**, full; **en** — **agosto**, in the middle of August.
pluma, *f.*, feather, pen.
población, *f.*, town.
pobre, poor.
pobre, *m. and f.*, poor fellow poor woman.
pobrecilla, *f.*, poor child, poor girl.
pobrecita, *f.*, poor girl, poor thing.
pobrecito, *m.*, poor little fellow.
pócima, *f.*, potion.
poco, -**a**, little.
poco, little; **en** — **estuvo que no las destruyeran**, they nearly killed them; **por** — **mata á la criada**, he nearly killed the maid servant; **no regatea** — **ni mucho**, does not haggle at all.
poder, to be able; **Yo ya no puedo más**, I am utterly worn out; **no pudo menos de**, he could not help.
poder, *m.*, power; **ha llegado á nuestro** —, has come to hand.
poderosamente, powerfully.
poderoso, -**a**, powerful, rich.

podrá, *see* **poder.**
podré, *see* **poder.**
podría, *see* **poder.**
podríamos, *see* **poder.**
poesías, *f. plur.*, poetical works, poems.
policía, *f.*, police.
política, *f.*, politics.
polvillo, *m.*, powder.
polvo, *m.*, powder; **—s de gas**, powders for cleaning brass and other metals.
Pombo, *proper noun.*
poner, to put, place, place before a person, serve, put on; **— de patitas**, to bounce; **— la pluma**, to wield the pen, write; **— una receta**, to write out a prescription; *refl.*, to become, station oneself, put on; **— á**, to begin; **— de moda**, to become fashionable; **— de pie**, to stand up; **— en camino**, to set out, start; **— en cuclillas**, to squat; **póngase usted en razón**, be reasonable; **¡ bueno me he puesto!** a fine state I am in! **se puso á la muerte**, she nearly died.
ponga, *see* **poner.**
pongan, *see* **poner.**
poniendo, *see* **poner.**
poquito, *m.*, a little bit.
por, for, by, through, about, instead of; **andar — casa**, to wear about the house; **— donde**, wherever; **— entonces**, at that time; **— escrito**, in writing; **— fin**, finally; **— la noche**, at night; **— lo visto**, apparently; **— sí**, in case, if; **— toda contestación**, as his only answer.
porción, *f.*, several, quite a number (of).
porque, because, in order that.
¿ por qué? why?
portal, *m.*, vestibule, doorway.
portera, *f.*, janitress.
portería, *f.*, janitor's room.
portero, *m.*, janitor, concierge, door-keeper.
portezuela, *f.*, door of a railway carriage.
pos; **en — de**, in pursuit of.
posar, to place rest.
poseer, to possess.
posesíon, *f.*, possession.
posible, possible.
posición, *f.*, position, standing.
postizo, **–a**, false (*hair*).
potasio, *m.*, potassium.
practicar, to make, put in execution.
práctico, **–a**, practical.
Prado, *m.*, meadow, name of a promenade in Madrid.
precaución, *f.*, precaution.
preciado, **–a**, precious, proud.
Preciados, *m. plur.*, *proper noun.*
precio, *m.*, price.
precioso, **–a**, precious, pretty
preciso, **–a**, necessary.
prefijado, **–a**, designated beforehand, determined.
pregunta, *f.*, question.
preguntar, to ask.
prenda, *f.*, garment, pawned article.
prender, to arrest, imprison.
prensa, *f.*, press.
preocupado, **–a**, worried.
preparar, to prepare.
presa, *f.*, prey.
presencia, *f.*, presence.
presenciar, to be present at, witness.
presentación, *f.*, introduction; **voy á hacerte la — de**, I am going to introduce to you.
presentar, to present; *refl.*, to appear, present oneself.
presidente, *m.*, president.
presidiario, *m.*, convict.
presidio, *m.*, penitentiary.

presidir, to preside.
presillo, *see* **presidio.**
preso, -a, *past participle of* **prender,** seized, imprisoned.
preso, *m.*, prisoner, convict.
prestamista, *m.*, money-lender, pawn-broker.
préstamo, *m.*, loan; **casa de —s,** pawn-broker's shop.
prestar, to lend, give, do.
pretensión, *f.*, pretention.
prevenido, -a, forewarned.
previo, -a, previous.
prima, *f.*, cousin.
primer, *see* **primero.**
primero, -a, first; **lo —,** the first thing.
primo, *m.*, cousin.
Principado, *m.*, the principality of Catalonia.
principal; cuarto *or* **piso —,** apartment on the first floor.
principio, *m.*, beginning; **dar —,** to begin.
prisa; á toda —, in hot haste, in a great hurry.
Prisco, *proper noun.*
prisión, *f.*, prison.
privación, *f.*, privation.
privar, to deprive; *refl.*, **— de,** to deprive oneself of.
probable, probable.
probar, to try, try on, prove, taste.
probe, *see* **pobre.**
procedente, coming from.
proceder, to act, behave.
procurar, to try, see to, bring about.
producir, to produce.
producto, *m.*, product.
produjo, *see* **producir.**
profesor, *m.*, professor.
profesora, *f.*; **— de cámera,** court pianist *or* teacher.
profundo, -a, profound.
programa, *m.*, programme.
prolijidad, *f.*, prolixity.
promover, to promote, get up, instigate.
pronto, quickly; **de —,** suddenly.
pronto, *m.*, sudden impulse.
propagación, *f.*, propagation, spreading.
propagar, to propagate, spread.
propina, *f.*, tip.
propio, -a, own, self, very; **el — Gamazo,** Gamazo himself.
proponer, to propose; *refl.*, to plan, resolve.
proporcionar, to supply with, furnish.
propósito, *m.*, purpose, design, intention.
propuesto, *see* **proponer.**
prorrumpir, to break forth.
protección, *f.*, protection.
protector, *m.*, protector.
protesta, *f.*, protest.
protestar, to protest.
providencia; como primera —, immediately.
provincia, *f.*, province.
provinciano, -a, from the provinces.
provisto, -a, provided.
provocar; —me el sudor, cause me to perspire.
próximo, -a, next.
proyecto, *m.*, plan.
prueba, *f.*, proof.
pruebe, *see* **probar.**
públicamente, publicly, openly.
publicar, to publish.
público, -a, public, of the public; **oficinas públicas,** government offices.
público, *m.*, public.
pudiente, wealthy.
pudimos, *see* **poder.**
pudo, *see* **poder.**
pudor, *m.*, modesty.
pueblo, *m.*, town, village.
pueda, *see* poder.
puede, *see* poder.

pueden, *see* **poder.**
puedo, *see* **poder.**
puerta, *f.*, door, gate.
puerto, *m.*, port.
pues, *adv.*, then, well; **¡—!** why! **¡— bien!** very well!
pues, *conj.*, for, since.
puesto, *m.*, stand; **— de á real y medio la pieza,** a five cent street booth *or* stand.
puesto, *see* **poner.**
Pulgón, *proper noun.*
punto, *m.*, point, degree; **— de color,** shade; **en — á,** in the matter of; **estar á — de,** to be on the point of.
puñalada, *f.*, stab with a poniard; **no es — de pícaro,** there is no hurry about it.
puñetazo, *m.*, blow with the fist; **pegándole —s,** punching her.
puño, *m.*, fist.
pupa, *f.*; **hacer —,** to hurt.
pupilera, *f.*, boarding house keeper.
pur, *see* **por.**
Pura, *proper noun.*
puré, *m.*, purée, thick soup.
Purita, *f.*, *proper noun, diminutive of* **Pura.**
puro, –a, pure.
pus, *see* **pues.**
puse, *see* **poner.**
pusieron, *see* **poner.**
pusimos, *see* **poner.**
puso, *see* **poner.**

Q

Q. S. M. B. = que sus manos besa, who kisses your hands.
que, who, which; **el —, la —, lo —,** he who, she who, that which.
¡qué! what! what a! how!
¿qué? what? **¿— tal?** How's that? What do you think of that? **¿y — tal?** and how did you come out? **¿por —?** why?
que, *conj.*, that, for, since; **he dicho — no,** I said no; **¿— no?** no?
que, *adv.*, than, as; **más —,** except.
quedar, to remain, agree; *refl.*, to remain, be.
quehacer, *m.*, work.
quejar, *refl.*, to complain.
quejido, *m.*, complaint, moan.
quepa, *see* **caber.**
querer, to wish, want.
quería, *see* **querer.**
querido, –a, dear, beloved.
querrá, *see* **querer.**
quesera, *f.*, cheese-mould *or* dish.
queso, *m.*, cheese.
queto, *see* **quieto.**
¡quiá! No indeed!
quien, who, whom, he who, one who, him who; **hay — dice,** some say.
¿quién? who? whom?
quiera, *see* **querer.**
quiere, *see* **querer.**
quieren, *see* **querer.**
quieres, *see* **querer.**
quiero, *see* **querer.**
quieto, –a, still, quiet.
quietud, *f.*, tranquility.
quince, fifteen; **— días,** two weeks.
quinina, *f.*, quinine.
quinqué, *m.*, table lamp.
quise, *see* **querer.**
quisiera, *see* **querer.**
quiso, *see* **querer.**
quisto, –a; bien quista, esteemed.
quitar, to remove, take away, take off; *refl.*, to get rid of; **—se la vida,** to commit suicide.

R

rabia, *f.*, rage, despair; **le da —,** it enrages him.
raja, *f.*, slice.
ramo, *m.*, department.
raptado, –a, snatched away by force, abducted.
rapto, *m.*, abduction.
rareza, *f.*, freak, fad.
raro, –a, strange, queer.
ratito, *m.*, a little while, short time.
rato, *m.*, moment, short space of time; **al poco —,** a moment later.
razón, *f.*, reason; **dar —,** to inform, direct.
real, *m.*, real (*a coin worth about five cents*).
realizar, to carry out, accomplish.
rebajar, to make a rebate of.
recapacitar, to cogitate.
receta, *f.*, prescription.
recetado, –a, prescribed.
recetar, to prescribe.
recibir, to receive.
recién; los — llegados, new arrivals, new comers.
recitar, to recite.
recluso, *m.*, prisoner.
recoger, to put away, lock up.
recomendación, *f.*, recommendation; **carta de —,** letter of introduction.
reconcentrado, –a, concentrated, reserved.
reconocer, to recognize, examine.
reconquistar, to get back.
reconstituyente, restorative, tonic, stimulant.
recordar, to remember.
recorrer, to scour.
recortar, to cut figures in paper.
recrear, *refl.*, to amuse oneself.
recuerdo, *m.*, recollection; **Dé V. —s en casa,** Remember us kindly to your family.
recuerdo, *see* **recordar.**
recurrir, to apply to.
recurso, *m.*, resource.
redacción, *f.*, drawing up.
redactar, to draw up.
redactor, *m.*, editor; **—es de planta,** editorial staff.
reemprender, to renew, begin anew.
referente; — á, referring to.
referir, to relate.
reflexionar, to reflect, consider.
reforma, *f.*, alteration, reform.
reformar, to reform.
refrescar, to take a refreshment.
refresque, *see* **refrescar.**
refrigerio, *m.*, refreshment.
regañar, to quarrel, scold.
regatear, to haggle, bargain.
regazo, *m.*, lap.
régimen, *m.*, régime, school.
registrar, to search.
regresar, to return.
regreso, *m.*, return.
regular, mediocre.
reino, *m.*, kingdom.
reír, to laugh; *refl.*, to laugh; **— de,** to laugh at.
relación, *f.*, relation; *plur.*, courting, connections, acquaintances; **— amorosas,** courting, courtship; **estar en —,** to be engaged to.
relato, *m.*, account.
releer, to read over again.
religioso, –a, religious.
reloj, *m.*, watch.
remedio, *m.*, remedy, help; **no hay más —,** it can't be helped; **no tuve más — que admitirlo,** I was forced to accept it.
remitir, to remit, send forward.
remover, to remove.
rendido, –a, worn out.
renunciar, to renounce, give up

reñido, -a, on bad terms with another person.
reñir, to quarrel.
repartir, to distribute.
réplica, *f.*, reply, answer.
replicar, to reply.
repliqué, *see* **replicar.**
repollo, *m.*, white cabbage.
reposo, *m.*, repose, tranquility.
representar, to act, perform.
reprimir, to restrain.
reproche, *m.*, reproach.
república, *f.*, republic.
republicano, *m.*, republican.
requisa, *f.*, tour of inspection.
res, *f.*, head of cattle, animal.
resentir, *refl.*, to almost give way *or* tear.
residir, to reside.
resistencia, *f.*, resistance.
resistir, to endure, stand.
resolución, *f.*, resolution.
resolver, to resolve.
respectivo, -a, respective.
respecto, *m.*; — **de,** with respect to, as regards.
respetable, respectable.
respetar, to respect.
respeto, *m.*, respect.
respetuosamente, respectfully.
respirar, to breathe a sigh of relief.
restablecer, to restore.
resucitar, to revive, resurrect.
resueltamente, resolutely.
resuelven, *see* **resolver.**
resultado, *m.*, result.
resultar, to turn out.
retinto, -a; — **en colorado,** reddish chestnut color, the neck almost black.
retirada, *f.*, retreat.
retirado, -a, retired.
retirar, *refl.*, to retire.
retoño, *m.*, offspring.
retrato, *m.*, portrait, picture.
revelar, to reveal.
revendedor, *m.*, ticket speculator, peddler.
reventar, to punish severely; to make it hot for a person, kill (*colloquial*).
revés; **al** —, on the contrary.
reviento, *see* **reventar.**
revolcón, *m.*, fall, minor injury caused by a bull.
revolucionario, *m.*, revolutionist.
revolver, to turn upside down, rummage.
revólver, *m.*, revolver; — **de siete tiros,** seven shooter.
rey, *m.*, king.
rezar, to pray.
ribeteado, -a, bound (*sewing*), encircled; **ribeteados de grana,** red rimmed.
rico, -a, rich.
ríe, *see* **reír.**
riendo, *see* **reír.**
riesgo, *m.*, risk.
rígido, -a, rigorous, severe.
rigor, *m.*, rigor, severity; **de** —, usual, customary, demanded by custom.
rincón, *m.*, corner.
río, *see* **reír.**
Río (Ferrer del), *proper noun.*
riquísimo, -a, fine, splendid, superb.
rival, *m.*, rival.
rizado, -a, curled.
rizar, to curl, frizzle.
robar, to rob, steal.
robusto, -a, robust, strong.
rodeado, -a, surrounded.
rodear, to surround.
rodilla, *f.*, knee.
rodilleras, *f. plur.*, bulging of trousers at the knees.
rogar, to request; **no se hace** —, does not wait to be asked (twice).
Roma, Rome.
romántico, -a, romantic.
Romea, *proper noun.*
romper, to break, tear.

roncar, to snore.
ronquido, *m.*, snore, snoring.
ropa, *f.*, clothes; — **de abrigo**, winter clothing; — **fina**, clothes of the best quality.
rostro, *m.*, face, countenance.
rotura, *f.*, breaking.
rozar, to scrape, tickle.
rubio, -a, blond.
ruborizado, -a, blushing.
Ruesga, *proper noun.*
rugir, to roar, bellow.

S

s. s. q. s. m. b. = **seguro servidor que sus manos besa**, very sincerely yours.
sábana, *f.*, sheet.
saber, to know, learn; — **á**, to taste of.
sabido, -a, known, well known.
sable, *m.*, sabre.
sabor, *m.*, relish, taste.
saborear, to enjoy.
sacar, to extricate, take out, get, show, sell.
sacerdote, *m.*, priest.
saco, *m.*, bag; — **de noche**, valise.
sacudir, to shake; — **patadas**, to kick.
Sagasta, *proper noun.*
sal, *m.*, salt; — **de higuera**, Epsom salts.
salchichón, *m.*, large sausage.
saldremos, *see* **salir.**
salga, *see* **salir.**
salgo, *see* **salir.**
salida, *f.;* **la — de los toros**, the return from the bull-fight.
salir, to come out, depart, issue, turn out, leave, appear; — **con bien**, to be successful; — **de paseo**, to go out to walk; — **del paso**, to get out of the difficulty.
saloncillo, *m.*, greenroom.
saltar, to leap, jump, gouge out.
salud, *f.*, health.
saludar, to greet, salute, bow.
saludo, *m.*, salutation.
salvador, *m.*, savior, rescuer.
Salvador, *proper noun.*
salvar, to save, preserve; *refl.* to escape.
san, *see* **santo.**
Sánchez, *proper noun.*
sandeces, *plur. of* **sandez.**
sandez, *f.*, absurdity, idiotic remark.
sangre, *f.*, blood; **de pura —**, genuine, real.
sanguinolento, -a, bloody.
santa, *f.*, saint.
Santander, Santander.
santanderino, -a, inhabitant of Santander.
santo, -a, saint.
saque, *see* **sacar.**
sastre, *m.*, tailor.
satírico, -a, satirical.
satisfecho, -a, satisfied, gratified, pleased.
se, himself, herself, itself, oneself, yourself, themselves; (= **le, les**) to him, to her, to it, to them, to you.
sé, *see* **saber.**
sé, *see* **ser.**
sea, *see* **ser.**
sean, *see* **ser.**
Sebastián, *proper noun.*
Sebastiana, *proper noun.*
seco, -a, dry.
secretario, *m.*, secretary.
secreto, *m.*, secret, secrecy.
secuestrado, -a, abducted, kidnapped.
secuestrar, to secuestrate, abduct, kidnap.
Secundino, *proper noun.*
seducir, to attract, captivate, seduce.
sedujo, *see* **seducir.**
seguida, *f.;* **en —**, afterwards, then, immediately.

seguido, -a, followed.
seguir, to follow, continue; **¿Como sigue mamá?** How is your mother? **¿Como siguen ustedes?** How are you?
según, according to.
segundo, -a, second; **el —,** apartment on the second floor.
seguramente, certainly.
seguridad, *f.*, security; **guardia de —,** policeman; **inspector de —,** police inspector.
seguro, -a, sure, sincere, faithful; **de —,** assuredly.
seis, six.
semana, *f.*, week; **la — que viene,** next week.
semanal, weekly.
semanario, *m.*, weekly newspaper.
semblante, *m.*, countenance.
sembrar, to spread, scatter.
senador, *m.*, senator; **— vitalicio,** life senator.
senaduría, *f.*, senatorship; **— vitalicia,** life senatorship.
sencillo, -a, simple, simple-minded, guileless.
seno, *m.*, bosom, lap.
sensible, sensitive.
sentado, -a, seated.
sentar, to fit, suit; **¿Qué tal me sienta?** how does it fit me? *refl.*, to sit down.
sentimiento, *m.*, sentiment, feeling.
sentir, to feel, regret; *refl.*, to feel oneself.
seña, *f.*, sign; *pl.*, description.
señá, *see* **señora.**
señor, *m.*, sir, Mr.; **el — alcalde,** his honor the mayor; **muy — mío,** (my) dear sir.
señora, *f.*, lady, madame, Mrs.; **— de su casa,** devoted housewife; **este billete es de —,** this is a lady's ticket.
señorita, *f.*, young lady, Miss, lady of the house.
señorito, *m.*, young gentleman, sir, master of the house.
sepamos, *see* **saber.**
sepan, *see* **saber.**
separar, to separate.
ser, to be; **es que,** the fact is that; **no ha sido para,** has not deigned, been kind enough to.
ser, *m.*, being.
serenar, *refl.*, to become calm.
sereno, *m.*, night-watchman.
Serra, *proper noun.*
servicio, *m.*, service, table service.
servidor, *m.*, servant; **un — de usted,** your humble servant; *in answer to a question* **servidor** *is equivalent to* I.
servidora, *f.*, servant.
servir, to serve, be useful *or* good for.
Sevilla, Seville.
sevillanas, *f. plur.*, a lively popular dance accompanied by song peculiar to Seville.
sevillano, -a, of Seville.
sexo, *m.*, sex.
si, if, whether; **por —,** in case for fear.
sí, yes.
sí, himself, herself, itself, oneself, themselves.
sido, *see* **ser.**
siempre, always; **— que,** whenever.
siendo, *see* **ser.**
sienta, *see* **sentar.**
sientan, *see* **sentar.**
siente, *see* **sentar.**
siento, *see* **sentir.**
siete, seven; **las —,** seven o'clock.
siglo, *m.*, century, age.
sigue, *see* **seguir.**
siguen, *see* **seguir.**
siguiendo, *see* **seguir.**
siguiente, following.

siguió, *see* **seguír.**
silencio, *m.*, silence
silenciosamente, silently.
Silvela, *proper noun.*
silla, *f.*, chair.
sillón, *m.*, orchestra seat (*on the side*).
simpatía, *f.*, fellow-feeling, liking, sympathy.
simpático, **-a**, sympathetic, attractive.
sin, without; — **que**, without.
Sinforoso, *proper noun.*
sintiendo, *see* **sentir.**
sintió, *see* **sentir.**
sinvergüenza, *m.*, shameless fellow.
siquiera, at least; **ni** —, not even.
sirve, *see* **servir.**
sirven, *see* **servir.**
sistema, *m.*, system.
sitio, *m.*, place, scene, room; **la dejo en el** —, I shall kill her.
situar, *refl.*, to station oneself.
so, under.
¡so!; ¡— indecente! you shameless fellow you!
sobar, to manipulate, paw.
sobra, *f.*; **hay tiempo de** —, there is more than enough time.
sobre, on, upon, about; — **si**, as to whether.
sobre, *m.*, envelope.
sobreasada, *f.*, Mallorcan sausage, red in color.
sobresaliente, *m.*, highest mark (A).
sobrino, *m.*, nephew.
socorrer, to succor, help.
socorro, *m.*, aid, help; **casa de** —, emergency hospital.
¡socorro! help!
sofá, *m.*, sofa.
sofocación, *f.*, suffocation, violent rush of blood to the head.
sofocar, *refl.*, to choke.
sol, *m.*, sun.
soledad, *f.*, solitude.
solemne, solemn, downright.
solemnidad, *f.*; **imbéciles de** —, downright idiots.
soler, to be accustomed.
solicitar, to solicit, beg.
solo, **-a**, alone, single, solitary; **á solas**, alone, in private.
sólo, only.
solomillo, *m.*, loin of pork.
soltar, to unfasten; — **un terno**, to utter an oath, swear.
sollozo, *m.*, sob, cry.
sombrerera, *f.*, hat-box.
sombrero, *m.*, hat.
somos, *see* **ser.**
son, *see* **ser.**
sonar, to sound, make a noise
sonoro, **-a**, sonorous, noisy.
sonreír, to smile.
sopa, *f.*, soup; *plur.*, pieces of bread for soup, soup.
sopera, *f.*, soup-tureen.
soporífero, **-a**, soporific.
sorbete, *m.*, sherbet.
sorprender, to surprise, catch, come upon a person suddenly *or* unexpectedly.
sorprendido, **-a**, surprised.
sorpresa, *f.*, surprise.
sospecha, *f.*, suspicion.
sostener, to sustain, support.
soy, *see* **ser.**
sr. = **señor.**
sres. = **señores.**
su, his, her, its, their, your.
suave, soft, smooth.
subir, to go up, mount, climb, take up, raise; — **á una casa cualquiera**, to go up stairs in some house.
sublevar, to excite, make indignant, rebellious; *refl.*, to become indignant, rise in rebellion.
sublime, sublime.
subversivo, **-a**, subversive.

suceder, to happen.
sucesivamente, successively; **y así —,** and so on in succession.
suceso, *m.*, event, affair.
sudar, to perspire.
sudor, *m.*, perspiration.
suegra, *f.*, mother-in-law.
suegro, *m.*, father-in-law.
suela, *f.*, sole.
sueldo, *m.*, salary; **— de Gobernación,** salary as clerk in the Department of the Interior.
suele, *see* **soler.**
suelo, *m.*, floor.
suelta, *see* **soltar.**
suelte, *see* **soltar.**
suelto, -a; pedradas sueltas, occasional throwing of stones.
suerte, *f.*, fate, chance, luck; **de tal —,** so, in such wise; **de todas —s,** at any rate.
suficiencia, *f.*, capacity, proficiency, ability.
sufrido, -a, suffered.
sufrimiento, *m.*, suffering.
sufrir, to suffer; **— examen,** to be examined.
suicida, *m.*, suicide.
suicidar, *refl.*, to commit suicide.
suicidio, *m.*, suicide.
suizo, -a, Swiss.
sujetar, to grasp, hold down, keep in place.
sujeto, *m.*, fellow, individual.
sulfato, *m.*, sulphate.
sumido, -a, overwhelmed.
supe, *see* **saber.**
superior, superior.
superior, *m.*, superior.
supiera, *see* **saber.**
supimos, *see* **saber.**
suplicar, to entreat.
supo, *see* **saber.**
suponer, to suppose, assume.
supongo, *see* **suponer.**
supuesto; por —, of course.
sur, South.
surgir, to arise, appear.
suspender, to suspend, stop.
susto, *m.*, fright, shock.
suyo, -a, his, hers, its, one's, theirs, yours.

T

Tabacalera, *f.*, *proper noun.*
tabernero, *m.*, tavern-keeper, wine-seller.
tal, such, such a; **un — Zaraza,** one Zaraza, a certain Zaraza; **con — de que,** provided that; **¿Qué —?** How's that? What do you think of that? **¿Y qué —?** And how did you come out? **¿Qué — me sienta?** How does it fit me?
talante, *m.*, manner, mien; **estar de mal —,** to be in a bad humor.
talento, *m.*, talent.
talle, *m.*, waist; **bajo de —,** long waisted.
también, also.
tampoco, either, neither.
tan, so, as; *used to add emphasis in expressions like the following,* **¡Qué hombre — fino!, — sólo.**
tango, *m.*, name of a dance and its tune.
tanto, -a, so much, as much.
tanto, so much; **entre —,** in the meantime; **— que,** so much so that; **la cosa no es para —,** the matter is not so serious as all that.
tapa, *f.*, lid.
tararear, to hum (a tune).
tarde, late.
tarde, *f.*, afternoon, evening.
tarea, *f.*, task.
Tarrasa, Tarrasa.
taza, *f.*, cup.
te, thee, you.
teatro, theatre.

tecla, *f.*, key of a piano.
tecleo, *m.*, banging *or* thumping upon a piano.
tela, *f.*, cloth.
telegrafista, *m.*, telegraph operator.
telón, *m.*, drop-scene, curtain.
temer, to fear.
temible, awful, terrible.
temor, *m.*, fear.
temperamento, *m.*, temperament.
temperatura, *f.*, temperature.
temporada, *f.*, season.
temprano, early.
tender, *refl.*, to stretch oneself out at full length.
tendido, *m.*, row of seats in a bull ring.
tendrá, *see* **tener.**
tendrán, *see* **tener.**
tendremos, *see* **tener.**
tenedor, *m.*, fork.
tener, to have; — **que,** to have to; **no le tengo por tal,** I do not regard him as such; **¿Qué tienes?** what ails you?
tenga, *see* **tener.**
tengan, *see* **tener.**
tengo, *see* **tener.**
teniente, *m.*, lieutenant; — **coronel,** lieutenant-colonel.
tenor, *m.*, tenor, purport.
tercero, -a, third.
terciopelo, *m.*, velvet.
terminado, -a, ended.
terminar, to end.
término, *m.*, end, close.
terno, *m.*, oath.
ternura, *f.*, tenderness, affection.
tero = **quiero,** *see* **querer.**
terrible, terrible.
testimonio, *m.*, testimonial.
Teudiselo, Theudigisel.
ti, thee.
tía, *f.*, aunt.
tiempo, *m.*, time.
tienda, *f.*, shop.
tienden, *see* **tender.**
tiene, *see* **tener.**
tienen, *see* **tener.**
tienes, *see* **tener.**
tierno, -a, tender.
tierra, *f.*, land, ground, place, [home
tiesto, *m.*, flower-pot.
tijeras, *f. plur.*, scissors.
tila, *f.*, lime tea.
timbre, *m.*, door-bell.
tinterito, *m.*, ink-stand.
tío, *m.*, uncle.
tira, *f.*, strip.
tirar, to throw away, pull; — **de,** to draw, pull; — **al sable,** to practice with the sabre; *refl.*, to throw oneself.
tiro, *m.*, shot; **tuvieron que matarle á —s,** they had to shoot him.
tisis, *f.*, consumption.
título, *m.*, credential, certificate.
toalla, *f.*, towel.
tocar, *m.*, to touch, play; **toca á su termino,** is nearing its close.
todavía, notwithstanding, yet, still.
todo, -a, all, every, whole, complete; **por —a contestación,** as his only answer; **—o lo más,** at the most *or* latest.
todo, *m.*, everything.
toma, *f.*, taking, receiving.
tomador, *m.*, pickpocket.
tomar, to take; — **el fresco,** to take the air; — **la puerta,** to be off.
Tomás, Thomas.
tono, *m.*, tone.
tonto, -a, foolish.
tonto, *m.*, fool.
toquilla, *f.*, bonnet.
torcer, to twist.
torero, *m.*, bull-fighter.
toril, *m.*, enclosure where the bulls are kept until it is time

for them to appear in the ring.
tornasolado, -a, changeable color.
tornavoz, *m.*, sounding-board.
toro, *m.*, bull; *plur.*, bull-fight.
torpe, stupid.
tos, *f.*, cough; — **ferina,** whooping cough.
trabajo, *m.*, work, labor, effort, trouble.
traducir, to translate.
traer, to bring, carry, lead.
tragar, to swallow.
trágicamente, tragically.
traigo, *see* **traer.**
traje, *m.*, suit of clothes; — **de mañana,** morning clothes.
trajecito, *m.*, suit.
trajera, *see* **traer.**
trajeron, *see* **traer.**
tranquilidad, *f.*, tranquillity, quiet.
tranquilizar, to pacify, calm.
tranquilo, -a, calm, easy in one's mind.
transcurrido, -a, elapsed.
transeunte, *m. and f.*, passer-by.
tras, after.
trasladar, *refl.*, to move, emigrate, betake oneself.
trasluz, *m.*; **al** —, against the light.
trasnochador, -ora, belated, up *or* out late at night.
trasporte, *m.*, transport.
trasto, *m.*, set piece; *plur.*, furniture, stage properties.
tratar, to treat; — **de,** to try.
trato, *m.*, society.
trece, thirteen.
treinta, thirty.
tren, *m.*, train; — **de mercancías,** freight train.
trencilla, *f.*, braid.
tres, three.
tribunal, *m.*, tribunal, examining board.
tributar, to pay, offer.
triste, sad, depressing.
tristemente, sadly.
tristeza, *f.*, sadness, sorrow.
triunfo, *m.*, triumph; **cuesta un** —, it costs no end of trouble.
trocar, *refl.*, to change, be changed.
trombón, *m.*, trombone.
trompada, *f.*, blow with the fist.
tropezar, to stumble; — **con,** to stumble over, strike against, run across (a person).
tropieza, *see* **tropezar.**
trufa, *f.*, truffle.
tu, thy, your.
tú, thou.
tubo, *m.*, lamp chimney.
tuerce, *see* **torcer.**
turba, *f.*, crowd.
turbación, *f.*, perturbation.
turbar, to disturb.
Turco, *m.*, Turk.
tute, *m.*, a game of cards.
tutear, *refl.*, — **con,** to be on intimate terms with.
tutelar, guardian.
tuve, *see* **tener.**
tuviera, *see* **tener.**
tuvieron, *see* **tener.**
tuviese, *see* **tener.**
tuvimos, *see* **tener.**
tuvo, *see* **tener.**

U

ú, or.
¡uf! whew! *an interjection expressing annoyance or fatigue.*
último, -a, last; **por** —, finally, lastly.
umbral, *m.*, threshold.
un, una, a, an; *plur.*, some; *can often be left untranslated.*
único, -a, only.
universidad, *f.*, university.
uno, -a, one.

uno, -a, some one, one, a person.
uña, *f.*, finger nail; **ser — y carne**, to be hand in glove.
Urtasun, *proper noun.*
usado, -a, worn out.
usar, to use, wear.
uso, *m.*, use.
usted, you.
ustet *see* **usted.**
usufructuar, to enjoy the usufruct of anything, hold, keep.

V

V. = usted.
va, *see* **ir.**
vacío, *m.*, side.
vago, -a, vague.
valor, *m.*, courage, value; **tendrán doble —**, will be worth twice as much.
vamos, *see* **ir.**
¡vamos! come! well!
van, *see* **ir.**
vanidoso, -a, vain.
vara, *f.*, yard.
Variedades, *f. plur.*, Varieties (*name of a theatre*).
vario, -a, various, different; *plur.*, several.
varioloso, -a, suffering from small-pox.
vas, *see* **ir.**
vaso, *m.*, glass.
vaya, *see* **ir.**
¡vaya! well! come now! indeed! **¡— un toro aquél!** that was a bull indeed! **— usted con Dios**, good-bye.
Vd. = usted.
Vds. = ustedes.
V. E. = Vuestra Excelencia, your excellency.
ve, *see* **ir.**
ve, *see* **ser.**
veces, *see* **vez.**
vecindad, *f.*, neighborhood.
vecino, *m.*, neighbor, inhabitant, resident.
veía, *see* **ver.**
veinte, twenty.
veinticinco, twenty-five.
veinticuatro, twenty-four.
veintidos, twenty-two.
velador, *m.*, candlestick, lamp stand.
vena, *f.*, vein.
Venancio, *proper noun.*
vencer, to overcome.
vendedor, *m.*, seller, vendor, newspaper boy.
vender, to sell.
vendido, -a, sold.
vendrá, *see* **venir.**
vendré, *see* **venir.**
venga, *see* **venir.**
vengan, *see* **venir.**
vengas, *see* **venir.**
venir, to come; **Venga el billete**, Hand over the ticket; **Venga el gabán**, Hand over your overcoat; **Vengan**, Hand them over; *refl.*, to come.
venta, *f.*, sale.
venta, *f.*, roadside inn *or* tavern.
ventanillo, *m.*, small window in a door, peep-hole, wicket.
ventura, *f.*, happiness.
ver, to see; **en viendo**, as soon as he sees; *refl.*, to find oneself, be; **ya se ve que sí**, yes of course.
veranear, to pass the summer away from Madrid.
veraniego, -a, summer.
verano, *m.*, summer.
verbosidad, *f.*, verbosity.
verdad, *f.*, truth; **¿—?** isn't it so? **la —**, to tell the truth.
verdadero, -a, true, real.
verde, green.
verdugo, *m.*, executioner, persecutor.
vergüenza, *f.*, shame, shyness; **le da —**, he is bashful.

vértigo, *m.*, vertigo.
vestido, -**a,** clothed, dressed.
vestido, *m.*, dress.
vestir, to dress; *refl.*, to dress oneself.
veterinario, *m.*, veterinary surgeon.
vez, *f.*, time; **alguna —,** sometimes; **alguna — que otra,** from time to time; **á su —,** in his turn; **de una —,** at once; **hasta otra —,** good-bye till I see you again; **en — de,** instead of.
vi, *see* **ver.**
vía, *f.*, way; **— pública,** city street.
viaducto, *m.*, viaduct.
viajar, to travel.
viaje, *m.*, journey, trip; **de —,** traveling.
viajero, *m.*, traveler.
vicio, *m.*, vice; **coger —s,** to contract vices, *or speaking of a garment*, get out of shape.
víctima, *f.*, victim.
vida, *f.*, life.
viendo, *see* **ver.**
viene, *see* **venir.**
vienen, *see* **venir.**
vientre, *m.*, stomach.
viera, *see* **ver.**
vieron, *see* **ver.**
viese, *see* **ver.**
vigilante, *m.*, guard.
Vigo, Vigo.
vigués, -**esa,** belonging to Vigo.
vigués, -**esa,** native of Vigo.
vilmente, vilely, abominably.
Villalón, Villalon.
vine, *see* **venir.**
viniendo, *see* **venir.**
vino, *see* **venir.**
vino, *m.*, wine.
vió, *see* **ver.**
violencia, *f.*, violence.
violín, *m.*, violin.
virgen, *f.*, virgin; **Virgen del Carmen,** Our Lady of Mount Carmel.
viruela, *f.*, small-pox.
visita, *f.*, call, visit; **ir de —,** to pay a call.
visitar, to visit.
vista, *f.*, view; **con —s á un patio,** looking out upon a courtyard; **en — de,** in consequence of.
visto, *see* **ver**; **por lo —,** apparently.
vital, vital; **el aliento —,** vital breath, breath of life.
vitalicio, -**a,** lasting a lifetime.
viuda, *f.*, widow.
vivir, to live.
vivo, -**a,** lively.
vocear, to call out, shout.
voces, *see* **voz.**
volar, to fly, hasten.
volcar, to turn down, flunk.
voluntad, *f.*, will, pleasure, desire.
volver, to turn, return; **— á** + *infinitive* = to — again; **no volverás á saber de mí,** you will never hear from me again; **— las espaldas,** to turn one's back; *refl.*, to return, turn around, become.
voy, *see* **ir.**
voz, *f.*, voice; **á voces,** with loud cries, loudly; **en — alta,** aloud; **á media —,** in a whisper.
vuelquen, *see* **volcar.**
vuelta, *f.*, turn; **dar —s,** to toss about.
vueltecita, *f.*, a short walk stroll.
vuelto, *see* **volver.**
vuelva, *see* **volver.**
vuelve, *see* **volver.**
vuelvo, *see* **volver.**

W

Wamba, Wamba.

Y

y, and.
ya, already, now, of course; — **no**, no longer.
¡ya! yes, indeed.
yema, *f.*; — **de coco**, cocoanut ball (*a sweetmeat*).
yendo, *see* **ir**.
yo, I.

Z

zancudo, -a, long-shanked.
Zancudo, *proper noun.*
zapatilla, *f.*, slipper.
zapato, *m.*, shoe.
Zaragoza, Saragossa.
Zaraza, *proper noun.*
zarzuela, *f.*, musical comedy comic opera.
Zarzuela, *proper noun* (*name of a theatre*).
zas, zip.
zozobra, *f.*, anxiety, alarm, uneasiness.
Zulima, *proper noun.*
Zumalacárregui, *proper noun.*